a segunda vez que te conheci

MARCELO RUBENS PAIVA

a segunda vez que te conheci

OBJETIVA

1

"Sua puta!", ele disse e apertou o gatilho friamente, como se mudasse o canal de uma tevê com um controle remoto: pá-pá-pá-pá-pá. Descarregou o revólver. Cinco tiros. Contou? Ela não emitiu um pio. As balas perfuraram a carne, mas não esguichou sangue. Depois dos estalos metálicos, codinome estampidos, veio o silêncio. Não alterou a calma rotina da garagem deserta. Depois, veio a paralisia nas decisões. Dificilmente alguém sobrevive a um revólver descarregado. No que euzinho aqui pensava? No que ela me disse uma vez: "É para onde está o dinheiro que eu vou, gato."
Todos vão.

Homens xingam mulheres de "puta!", "vaca!", "piranha!". No caso, não tinha o que contestar. Acabava de morrer baleada no meu carro uma profissional ocupação número 5.198 segundo a Classificação Brasileira de Ocupações do Ministério do Trabalho: meretriz, prostituta, biscate, garota de programa.

O pé esquerdo dela ainda se mexeu, como se inutilmente pedisse socorro em código por espasmos. Ele apontou o revólver para o pé dela e acionou o gatilho. Não tinha mais bala. Três-oitão tem só cinco balas. Jogou a arma no pé que mexia, acertando em cheio o que não mexia. O que, surpresa, parou o que mexia. Repreendi o cara.
O sangue se tornava escasso no cérebro dela. Os órgãos autônomos começavam a pifar, o cerebelo, o coração... O estômago repleto de ácido ainda quebrava as proteínas do que comeu horas

antes. Não sei como se processava na bexiga o vinho argentino fajuto que ela abriu, bebendo com atenção, pois era um Malbec, comprado no supermercado da esquina, cujo "custo valia o benefício", expressão batida que serve para definir a qualidade de um vinho, que bebeu num copo de requeijão sem rótulo. Será que as unhas e cabelos cresciam naquele instante?

A morte não chega como se apertássemos o off do controle remoto. As informações nervosas e enzimas ainda processam e circulam por um tempo.

Morre-se aos poucos.

Morrer é um movimento.

Move-se para a morte.

Eu poderia correr para a farmácia do meu pai, buscar a salvação. Se ele não conseguira salvar a minha mãe, salvaria a puta?

Ela morria e levava na bagagem um pouco da minha segunda vida e o projeto de faturar com a sociedade na decepção; negócio lucrativo livre de impostos.

Dizem que, na aproximação da morte, vemos toda a nossa vida como um filme. Outra expressão batida, mas boa. Não sei se aconteceu com a vítima, que levou um pá-pá-pá-pá-pá de um três-oitão no banco traseiro do meu carro. Aconteceu comigo.

Enquanto ela morria, num estúpido egoísmo eu vi toda a minha vida. Como um filme. Ou livro. Que poderia começar com o capítulo: O Fim do Meu Primeiro Casamento.

2

Às 11h, na sala, encontrei Ariela arrumada, pálida como uma escultura de gesso, ao lado de duas malas e uma pilha de livros, sentada no canto do longo sofá de quatro lugares. No colo, a grossa edição intacta do jornal de domingo. Seu corpo estava voltado para a porta de entrada. Rígido. Me esperou acordar em alerta.

Sonado, ao ver o instantâneo, desabei. Óbvio.

"Raul, senta", ela disse.

Você acredita que foi assim que ela anunciou?

Sentei.

Em mim, desespero e pensamentos estúpidos, como:

a) por que tínhamos um sofá tão longo?

b) quanto tempo demorou para fazer as malas?

Eram as suas coisas prioritárias e alguns livros de filosofia, disse. Mandaria alguém pegar o resto.

Eu não saberia como começar o anúncio do fim, nem diferenciar o prioritário do não, se eu tivesse que partir naquela manhã. Nem saberia qual livro eu leria, nos dias que viriam. Nem se leria um livro. Ler um livro chorando o amor partido?!

Ariela parecia sóbria demais na manhã que ficaria marcada em nossas vidas. Manhã que não seria curta: teríamos que revisitar o dia em que nos conhecemos, os dois anos de namoro, o pedido de casamento, o casamento, a viagem de lua-de-mel desastrosa — como muitas viagens de lua-de-mel —, mais viagens, casas em que moramos, cada amigo que fizemos, cada noite em que choramos, e o trabalho que deu subir com cordas pela fachada aquele longo sofá, operação que atrapalhou o trânsito do bairro Cerqueira César.

Decidiu, é hoje, fez as malas com as roupas mais importantes? Estão lá alguns remédios, a escova de dente. Empacotou tudo tão rápido.

São os livros de filosofia que adora e devora que lhe dão tantas certezas?

O álbum de casamento ficará para quem?

Esperou eu acordar para se despedir, anunciar o fim, sem esquecer de deixar uma ponta de esperança, respondendo às próprias perguntas:

"Vou para a casa da Fabi, ficarei lá, vamos pensar. Será? Sim, baby. Estou certa? Talvez. É o melhor para mim, digo, para nós, mas, quem sabe? Não sei, você sabe?"

"Tem outro cara?"

"O quê? Não."

"Jura?"

"Claro."

"Você está sendo muito seca."

"O que você queria?"

"Você está tendo um caso?"

"Pára com isso!"

"Fala a verdade."

"Ridículo!"

"Não me ama mais?"

"Não é isso."

"O que é então?"

"Estou com um terremoto aqui dentro. Entende?"

"Não."

"Preciso ir."

"Você já decidiu."

"Perdão."

"Tem certeza?"

"Tenho. Você não concorda?"

"Não."

"Por quê?"

"Mais uma chance?"

"De quantas mais precisamos?"

"De muitas."

"De muitas quantas, baby?"

"De três?"

Ela riu. Por isso eu a amava tanto: gosta das minhas piadas e ri. Mesmo no dia que ficaria marcado mais do que o dia em que nos conhecemos, que seria esquecido.

"Você também não me ama mais", ela comentou.

"Como assim?! Claro que eu te amo! Até o infinito!"

Apelei.

Ela se emocionou.

Infinito fazia parte do nosso repertório pessoal. Ela costumava perguntar "quanto você me ama?", e eu dizia "muito", ela insistia "muito quanto?", e eu dizia "infinito".

Ninguém ama alguém até o infinito. Jamais o conheceremos. Só compreendemos o infinito na poesia. Na imaginação.

Sabíamos que ia acontecer, há meses, como se diz por aí, "não vínhamos bem", há muito não éramos os mesmos, você sabe como é, há tempos cada um foi para um lado, priorizou seus planos, há tempos tivemos a conversa séria.

O meu trabalho atrapalhava?

Insônias, silêncios.

Em vez de cobranças, esgotamento.

Há meses nos perguntamos se tinha acabado.

No domingo ela fez as malas.

Ex-marido é como um banheiro velho. Ela quer homens sem vícios, ferrugens e vazamentos. Como não entende de encanamentos, abandona.

Comecei a chorar e não parei.
Reação que surpreendeu mais a mim do que a ela.
Algo me dizia que deveríamos continuar, reconstruir a louça em cacos, quebrar as paredes em busca de canos rompidos. E perguntei o que fiz de errado?
Fizemos?
Em alguns momentos acertamos.
Em quais erramos?
Coloquei uma música.
All Apologies, baby. Canta comigo a nossa música.
Para ela se segurar numa certeza que, sei, aparentava, mas certamente não tinha (humanamente impossível ter), repetia como um mantra que eu tinha que me tocar e tocar a minha vida, viver a minha vida, viver em frente, seguir o meu rumo, um que fosse.
Se eu tivesse sido mais caseiro, teria ajudado?
Se eu tivesse mudado de profissão?
E se eu tivesse, sei lá, aprendido a cozinhar, pintado as paredes, feito aulas de mitologia, meditação, montado uma pousada?
Seu mantra continuava, toca a tua vida, viva a tua vida, viva, vida, enquanto eu cantava *"everything is my fault, everything is my fault..."*

A manhã virou tarde.
Nada de fome.
Não me olhava, não chorou.
O corpo indicava que queria voar dali.
E voaria no primeiro silêncio.

Por isso, não parei de falar.

Tá, é o meu trabalho, eu disse, é a paixão pelo jornalismo, trocar feriados e férias por pautas, esquecer datas, deixar você esperando porque caiu um governo, choveu canivetes, morreu um ditador, iniciou uma revolução, a revolução, entendeu? Somos testemunhas de um dos eventos mais importantes da história. Tudo vai mudar. Achavam que o rock tinha acabado. Precisamos estar sempre ligados. Desculpe não aparecer no aniversário de 80 anos do seu pai, festa organizada há meses. Ah, era de 70? Mas ele aparenta mais, está doente? Olha, baby, preciso escrever sobre o que acontece neste momento, olhe bem, a trégua muda o jogo político e as fronteiras, eu sei que faltei também no aniversário do ano passado, mas no ano passado teve a crise econômica que arrasou as economias dos países em desenvolvimento. Não tenho culpa, amor, se as coisas relevantes do mundo acontecem no dia em que o seu pai nasceu, no dia em que a sua mãe nasceu. Ou no dia em que nos conhecemos, no nosso aniversário de casamento, no meu, porra! Tá, sem palavrão, escapou. Veja bem, no seu aniversário, só deixei de comparecer no dia em que explodiram aquela bomba. Mas é o meu tom de voz. Não estou gritando. Tá, eu abaixo. Desculpe. Sem contar que a explosão deu no atentado, que iniciou a perseguição, que resultou no juramento, que descambou na invasão aprovada pelo Conselho de Segurança das Nações Unidas. Pelo próprio Conselho de Segurança, cujas resoluções só são aprovadas por unanimidade. O rock não morre, a história não tem fim, o amor não acaba! Não é por causa do meu trabalho, é? Você é superior a este clichê. Você sabe, amor, eu te amo, te amo muito, mas sou obcecado pelo trabalho, perfeccionista, precisamos ser. Sou o fiscal do mundo, amor, represento o leitor, meu bem. Jornalistas derrubam governos, presidentes, desfazem mitos e versões oficiais. Há muitos interesses em jogo. Vivo nesse estresse! Desculpe, vou falar mais baixo, eu não estava gritando, olha, sem a imprensa, diz, que graça teria? O mundo precisa de nós, desde os tempos antigos. Sabe quais foram as manchetes do pré-socrático? *As Coisas Estão Cheias de Deuses, Atenienses Inventam a Democracia, Mileto Aprende a Medir, Mitos São Dissolvidos, Heráclito Afirma que Tudo É Novo.* Você está rindo. Que delícia te ver rindo. Não vá embora. Vem, vamos brincar de escrever manchetes baseadas na mitologia: *Helena de Tróia Foge com Amante, Sísifo Carrega Outra Pedra, Prometeu Atacado Covardemente enquanto Acorrentado.* Que linda você rindo, te amo, merda, sério, mas amo o que faço. Você pode me ajudar, me faça ser outro. Não posso parar de trabalhar, mas posso melhorar, diminuir a carga, virar colunista, ficar mais em casa, mandar as matérias por e-mail. Me diz, o que você quer? Me ensina a te amar, me aconselha, please, para o meu bem, se quisermos recomeçar, como eu deveria ser, amor?

"Abaixe esse som! Nirvana é tão irritante!", ela disse com raiva.

Pensei que ela gostasse.

Respirou fundo.

Voltou o tom professoral:

"Compre um caderno em branco, sem pautas, novo. Escreva. Vou estar sempre com você, pensando em você, é o amor da minha vida, mas... A gente se casou tão cedo, Raul. Você foi amoroso, perfeito. Eu que sou louca, coloco tudo a perder, para ir atrás de algo que nem sei ao certo. Claro que estou insegura, baby. Mas eu preciso tentar. Entende? Me perdoa..."

Contei que traí.

Com a amiga Fabi.

Ela riu.

Disse que era mentira. Nem se abalou. Por que tanta convicção?

Segurou a alça de uma das malas.

Tá, não foi com a Fabi, confesso, foi com a Sueli, a vaca da Sueli, naquela vez em que você viajou, saí com a Sueli, porque você deixou de me amar, porque não tomávamos mais banhos juntos, saí com a Sueli por vingança, sim, por amor, meu amor, e Sueli até me pressionou, ri muito quando ela me perguntou se eu te largaria para ficar com ela, claro que não, Sueli, tá louca, Sueli?, eu só quero te comer, amo a minha mulher.

A revelação não alterou o roteiro daquele domingo.

Só uma minúscula lágrima se formou no canto direito do seu olho esquerdo. E se ela estivesse contra a luz, imperceptível.

Bem, vá embora, posso falar palavrões, posso fumar, posso me drogar, me viciar em heroína e enlouquecer de amor, como Kurt Corbain, que eu jurava que você amava.

Posso ficar com a Sueli quantas vezes eu quiser, na nossa cama ainda quente, cercados por armários esvaziados. Sueli dará para mim todos os dias, meses, anos. Montaremos uma banda de heavy metal! Ela será a guitarrista viciada e tatuada. Usarei cabelos enormes, roupas justas. Ficarei obeso de tanta cerveja.

"Posso ir?", perguntou.

Saiu carregando as malas até o hall, sem pedir ajuda.

Segurei sua mão. Fica, fica, fica... Eu te amo, te amo pra caralho, você é tudo pra mim, fica, pelo amor de Deus, te imploro! Não. Nunca comi a Sueli, nenhuma Sueli. E não falo mais palavrão!

Entrou no elevador, entrei com ela, fica, fica, fica. Não.

Na garagem, peguei as malas, ela foi para o carro.

O garagista apareceu.

Fiquei com as malas.

Ela entrou no carro e apertou o botão que abre o porta-malas por dentro. Juro que calculei que, se não existisse aquele botão viado, tudo teria sido diferente: estaríamos ainda em pé disputando o nosso futuro, ao lado de um garagista e muita discórdia.

Joguei as malas no carro. Como o botão não fecha a tampa do porta-malas automaticamente, fechei com tanta força, que ela dificilmente abriria outra vez. Então, eu disse:

"Vou comer a Fabi, a Sueli, a sobrinha dela, a menorzinha, a vizinha, não a filha, uma aeromoça australiana, uma tenente da Marinha e uma surfista portuguesa!"

Deu a partida e disse:

"Você sempre será o homem da minha vida."

Assim terminou o meu primeiro casamento.

Há seis anos.

Meus níveis de triglicerídeos e colesterol eram baixos.

O garagista intrometido me consolou com a frase feita (somos bombardeados por elas):

"O tempo é o senhor da razão."

É a partir de um momento como esse que o futuro dá medo, e o tempo não passa. Mas o canalha do homem se habitua a tudo, disse Raskolnikov.

É nesse carro que abre o porta-malas por dentro que está o cadáver da puta baleada perdendo sangue. Carro que Ariela levou e não devolveu, doou para Fabi, como pagamento de despesas, como aluguel e condomínio. E que anos depois recuperei. Eu não tinha idéia em nome de quem ele estava. E não era enquanto o cadáver esvaía vida, que eu iria abrir o porta-luvas para checar os documentos: se o IPVA, o seguro obrigatório, DPVAT, estavam pagos, e o licenciamento, em dia.

Pensei rápido: se eu dançar, digo que o atirador me ameaçou. Que fui seqüestrado. Com trema?

Trema não é mais obrigatório?
Tem jornais e revistas que aboliram há tempos.
Cada um segue um estilo próprio, não sabia?
Padrão é o nome.
Tem jornais e revistas que escrevem títulos de obras de arte entre aspas. Outros, em itálico. Certa vez, quando mudei de empresa, tive um pesadelo em itálico. Minha mãe apareceu inclinada e me ofereceu bananas retas. Tem obcecado e obsessão. Nem a palavra palíndromo é um palíndromo. Em algumas publicações, estresse é stress. Ou stresse. Extinguiram o hífen de fim-de-semana num fim de semana. O trema sumiu, voltou, depois de amargar um exílio por décadas, e agora o enterraram de vez. Foi um estresse nos adaptarmos ao novo fim de semana. Réveillon é réveillon ou Réveillon? É malformação ou má-formação? É pôr-do-sol ou pôr do sol, maquilagem ou maquiagem, assobiar ou assoviar, Antártica ou Antártida, mussarela ou muçarela? Depende.
A padronização de estilo de cada jornal e revista demandou tempo, energia e dinheiro. Participei dos projetos gráficos, da reformulação e da criação de normas e manuais.
É, sou daquela época.
Daquela Era.
Era.

Arrastamos o cadáver da puta e jogamos no porta-malas. Depois, ele entrou e sentou no banco de passageiros, com o três-oitão descarregado na mão. Não disse uma palavra.
Me perguntei se um assassino reflete sobre o seu crime, logo depois de cometê-lo, se imagina ser pego, trancado numa cela,

condenado, se pensa nas conseqüências, na pena, na dor da família da vítima. Ou se prioriza a fuga.

Sob juramento, eu poderia afirmar que ele me obrigou a dirigir. Porém três-oitão tem só cinco balas, e, pá-pá-pá-pá-pá, o atirador disparou todas. E não contei, no calor dos acontecimentos, não contei, Excelência, direi na apelação. Ele me ameaçou, e eu achava que a arma ainda estava carregada.

Saímos do flat.

Caímos na avenida Rebouças.

Fomos para a editora.

Imaginei o texto na capa de um tablóide popular.

> Depois de conduzirem a viatura com IPVA e DPVAT vencidos, com o corpo da vítima no porta-malas que abre por dentro por um botão viado, até a extremidade do estacionamento permitido a credenciados da editora, tiveram a infeliz idéia de despejar o presunto no galão de solvente, componente utilizado para a composição da tinta que imprime as revistas, sem se darem conta de que câmeras de vigilância espalhadas flagravam dois patéticos meliantes jornalistas, um homicida e seu comparsa, despejando o defunto no galão da solução da gráfica da editora de tradição e nome em que trabalharam.

Se espremer, sai sangue. Você também não pensa no sentido literal de algumas frases feitas? Imaginei a revista chegar, ser desenrolada, e escorrer sangue pelo chão de mármore ou carpete de madeira laminado da casa do leitor, que chamamos de consumidor.

A frase para classificar (ou desqualificar) tablóides populares que cobrem matérias policiais se tornaria um fato. A combinação perfeita: a notícia do fim de semana impressa com tinta, sangue e vísceras dissolvidas de uma puta. No inocente café da manhã (sem hífen), famílias inteiras sujariam as mãos num papel contaminado por restos humanos. Uma horda de leitores da editora de nome e tradição, contaminados por restos mortais de uma biscate.

O odor...

Toda a cidade comentaria a mudança de tinta da revista, que exalou mau cheiro antes mesmo de embrulhar peixes. A mercadoria apurada por nós, codinome notícia, foi impressa com o verbo e o sangue de uma puta.
E os que defendem o fim do jornalismo impresso teriam um mártir: está vendo como o papel suja as mãos?!

Ariela começou a me fazer falta dois segundos depois que saiu da garagem.
Ariela era tudo na minha vida.
Com sua paciência e didatismo.
Sempre disponível.
Sempre apaixonada.
A vida dentro de casa era o que havia de mais importante para ela, que não fazia questão de trabalhar. Ariela queria paz. Não tinha ciúmes da agitação da minha vida. Não competia. Era tão sábia, superior a todos. Me dava conselhos, corrigia meus textos, me botava pra cima.
Coloquei tudo a perder.

Subi no elevador, torcendo para fazer uma viagem sem escalas até o fim do Universo, e ser apresentado, enfim, ao infinito: "Olá, rapaz, tudo bem? Falava tanto de você. Eu dizia que a amava até você. Todos dizem isso?"

Em casa, liguei o som no máximo: *"I don't care if I'm old, I don't mind, don't have a mind, get away, away, away from your home!!!"*

Escutei num volume que Ariela escutaria no caminho para a casa de Fabi, o caminho que escolheu para nós.

Dancei no meio da sala.

Chacoalhei a cabeça.

Pulei no sofá.

Chutei a mesa de centro.

Cantei o refrão.

E chorei sem parar.

Como um homem da minha idade ainda escuta esta merda de Nirvana?!

Me largou porque não cresço?

Vou escutar músicas neste volume, baby. Vou jantar sem tirar os talheres da gaveta, baby, porque vou comer com as mãos. Nunca mais vou arrumar a cama. Ficarei meses sem tomar banho. Vou beber todas as noites até cair e vomitar pelos tapetes que você comprou. Vou dormir no chão da sala. Paixão. Eu, o canalha do homem.

Saudades.

Saudades da minha infância.

Da escola.

Da minha mãe.

Da minha família.

Da casa cheia.

Das minhas irmãs dormindo, ou de todos na sala de tevê, disputando a poltrona de couro no centro do ambiente, da guerra de almofadas e de coquinhos. Saudades da risada de criança, da viagem surpresa, do pai dirigindo.

Ele tem uma farmácia na Lapa, fundada pelo meu bisavô, que foi administrada pelo meu avô. É daqueles que não adquirem uma profissão, herdam. Não abriu filiais pela zona oeste nem leste. Recebeu ofertas das grandes redes. Não cedeu. É das poucas farmácias da cidade que têm o nome da família na fachada. É das poucas com farmacêuticos que não indicam remédios, mas médicos. É das poucas que pedem receitas, mesmo para os remédios de tarja vermelha: "uso sob prescrição médica".

Meu pai é dos poucos que não se corrompem, não inovam, não aceitam opiniões alheias. Sua teimosia corrói mais que constrói. Sua ética é estranhamente anacrônica:

1. Nunca dirigiu bêbado.
2. Nunca excedeu o limite de velocidade.
3. Nunca cometeu uma infração no trânsito.
4. Nunca falou um palavrão, amaldiçoou um inimigo, deixou um parente na mão, ergueu a voz, a mão, desligou na cara de alguém; nem mesmo num trote.
5. É o primeiro a chegar nas seções eleitorais, em dia de eleição.
6. Nunca deixou de pagar impostos.
7. Recicla lixo muito antes de o hábito ter sido incorporado.
8. Economiza luz, apagando a dos ambientes que deixa.
9. Fecha a água enquanto escova os dentes ou raspa a barba.
10. Vai à missa todos os domingos às 11h.
11. Lava as próprias meias e cuecas.

Minha mãe? O oposto. Sabe a quem puxei?

Nunca coloquei os pés atrás do balcão da farmácia. Meu pai deve ser a última geração a geri-la, pois minhas irmãs também não demonstram interesse. Olha que a pressão foi grande. Assim como foi grande a minha pressão para ele vendê-la. Ele não se aposenta, com a esperança de que algum neto possa se interessar pelo ofício. Só que os netos não vieram.

Confesso que sempre me achei superior por ter na família magos com o poder da cura — contanto que houvesse prescrição médica, o pedido estivesse legível, e a receita datada, devidamente carimbada com CRM.

Na minha família, falar de remédios, das novidades da indústria farmacêutica, dos lançamentos fracassados ou bem-sucedidos, é tema de festas e jantares. Passei a infância acreditando ser parte de uma organização secreta que desafiava a morte, já que tinha domínio sobre grande parte das fórmulas farmacêuticas: composições, indicações, posologias, efeitos colaterais ou contra-indicações.

No entanto, experimentei a falta de sentido e a inutilidade do conhecimento, assim que se diagnosticou um câncer com prognóstico maligno no corpo indefeso da minha mãe, atacado covardemente pela mais injusta das doenças, pois é invisível e inexplicável. Doença que meu pai, com toda a indústria farmacêutica à mão, não soube curar.

Como milhões de paulistanos, somos descendentes de italianos.

Só minha mãe sabia que Raskolnikov é o cara de *Crime e Castigo*. Ninguém da minha família é intelectual. Ninguém é ou foi artista, escritor, cineasta, teatrólogo ou teólogo. Tirando a minha mãe, ninguém da minha família leu grandes clássicos, foi a mostras de cinema, conhece Peter Brook, Lepage, nem sabe que o teatro Nô influenciou todos eles, nem sabe que *Es-*

perando Godot é um marco no teatro, que *Closer*, aquele filme da Julia Roberts que viram na tevê, é na verdade uma peça das mais premiadas da Europa, responsável pelo renascimento da dramaturgia contemporânea. Filme que a indústria do cinema fez questão de estragar.

No entanto, na minha família, não se fala analgésico, especifica-se, não se fala aspirina, mas salicilato de sódio, não se fala antibiótico, especifica-se: da família da ciprofloxacina? Não se fala piriri, mas perda hidroeletrolítica, não se fala xixi, mas diurese. Não se fala "papai, quero fazer cocô", mas "papai, quero evacuar".

Escuto a voz dele dizer: "Qual informação é mais valiosa, a de que esse teatro Nô influenciou muitos, ou a de que o diclofenaco sódico, mais conhecido como o antiinflamatório Voltaren, não combate a inflamação propriamente, mas diminui as prostaglandinas produzidas pelo corpo do paciente?"

Minhas duas irmãs são possessivas, ciumentas, do lar. Casadas com maridos dominados por elas, como costumam ser os maridos de descendentes de italianos. Maternais, tentaram substituir a minha mãe.

Mãe que me deixou de herança livros que eu devorava, enquanto ela combatia o câncer fulminante na mama. Livros que, depois, para ela nas últimas, li em voz alta. Livros, revistas, jornais. Curiosa contradição: um paciente terminal obcecado por notícias. "Leia para mim, *estrafotento*", como ela me chamava.

Antes de adoecer, ela me levava secretamente, à tarde, ao cinema, atividade que meu pai considerava dispensável e perdulária, depois da invenção do aparelho de videocassete.

Para evitar uma lição de moral na hora do jantar, que era absurdo e perigoso uma mulher frágil se locomover para ver um filme que, em meses, poderia ser visto com a família reunida no conforto do lar, ela passou a mentir, e eu, a omitir: dizia que íamos ao reforço escolar, porque eu ia mal em matemática.

O primeiro filme de que me lembro: *Doutor Jivago*. Me fascinaram a paisagem das estepes nevadas e a música. Não entendi a trama, que se passa durante a Revolução Russa. Mas entendi muito bem o triângulo amoroso entre o médico Yuri, que tinha uma mulher morena, Tonya, e uma amante loira, Lara, uma mais gostosa que a outra (Geraldine Chaplin e Julie Christie). Corrigindo: a segunda era mais gostosa que a primeira, já que fazia a amante safada, enquanto a primeira representava a esposa contida e controladora, apaixonada e chata.

Duas mulheres a escolher, a maternal ou a carnal, a sábia ou a libidinosa. Eterno dilema masculino.

Meu pai passou a me pedir para fazer contas durante o jantar. Do nada, soltava: "Raul! Sete vezes oito." Sete vezes oito?! Até hoje paro e penso.

Minha mãe morreu, fiquei bom em tabuada e passei a odiar a correção do meu pai, sua moral improdutiva, incapaz de salvar quem mais interessava. Por que não a entupiu de remédios ainda em teste, burlou o receituário, não fez do corpo que definhava um laboratório, não pesquisou à exaustão, não partiu para tratamentos alternativos, radicais. Por que foi tão alopata e confiou tanto nas receitas? Por que não vendeu aquela merda de farmácia e a levou para outros países?

De raiva, fui fazer jornalismo.

Entrevistei Geraldine Chaplin para um frila para uma revista de cinema. Nem me lembrei de que ela tinha sido uma das musas da minha infância. Bebemos uísque num jantar no Jockey Club, em que se anunciou uma parceria cinematográfica.

A noite virou balada.

Ela, muito bêbada, dançou desajeitadamente e foi uma das últimas a sair.

Comum demais, para uma semideusa.

Por isso, jornalistas são céticos: vêem mitos sem máscaras, descobrem que imortais bebem, borram a maquiagem, dão em cima, vomitam, desabam em bancos de táxis e dormem sós. Como qualquer um.

Como sei?

Eu a coloquei no táxi, levei até o hotel, pensei, até, em aceitar o convite e subir para a suíte, para um último drinque, "the last one", como ela disse, enrolando a língua. Pensei em subir e ter uma noite com a atriz do filme que vi com mamãe na grande tela do Astor. Pensei em ser seu Yuri, médico poeta moscovita, levar minha Tonya nos braços, antes que os bolcheviques tomassem a cidade.

Mas ela estava tão bêbada. E eu era um jornalista que ainda não me aproveitava das fraquezas das fontes.

Nem para ficar com a musa da infância. Se bem que, se fosse a outra, Julie Christie, a loira gostosa, a amante Lara, a resolução teria sido a "the last one".

Eventualmente, quando escrevo uma matéria, fecho os olhos, me imagino com a minha mãe, lendo em voz alta — sem poder chorar ou demonstrar aflição, sem o direito de xingar Deus, sem razão para reclamar das pequenas incongruências do dia-a-dia. Para a mãe sem cabelos convalescendo da químio, deitada de olhos fechados, respirando com prazer. Enquanto uma metástase invisível, nojenta, crescia injustamente.

Algumas vezes, quando termino um texto, imagino minha mãe, de olhos fechados, pensando no lide, discordando, corrigindo ou aplaudindo, com orgulho do filhão que a amava tanto.

Você amadurece quando, ao se inverterem os papéis, passa a cuidar daquela que deveria cuidar de você. E envelhece rapidamente. Com 10 anos, carreguei nas costas a maturidade de um ancião, a revolta de um soldado de Esparta e de um revolucionário bolchevique.

3

Fabi me ligou para marcar uma visita para pegar o resto dos pertences que Ariela deixou para trás, na fuga apressada. Por que a própria não ligou, já que serei sempre o homem da sua vida? Porque era mentira. Não quis me rever. Quer me esquecer!

Me esquecer para sempre!

O amor da minha vida quer esquecer o homem da sua vida!

Mulheres mentem para não machucar. Machucam, porque mentem.

Como Fabi também se separara duas vezes, identificamos pelo telefone a dor e o vazio das mentiras, essência de todas as separações.

Falamos da casa grande demais para um só, da cama grande demais para um só, da garrafa de vinho grande demais para ser aberta por um só, da trabalheira que dá ocupar o tempo com atividades sociais, do desespero nos fins de semana, da vida sem planos ou férias futuras.

E os planos de aumentar a família?

E as discussões sobre se é preferível menino ou menina e em qual escola colocaríamos?

Não mais.

Lembramos o pão que mofa, o leite que azeda, a Coca que choca, a comida que sobra, a penca que apodrece, o silêncio das madrugadas, a pipoca pequena no cinema. Não é uma merda se separar, Fabi?

E não paramos de falar.

Nos tornamos piegas quando a tristeza é inevitável.

Fabi. Tesão que — meu Deus, que confissão horrível agora, perdão, pequei, Senhor, pequei, meu Pai — foi muito homenageada nas minhas masturbações. Se o Senhor visse Fabi com aquela boca saliente, pele morena, decotes que provocam, lábios que desafiam, talvez me desse razão. Aliás, o que estou dizendo? O Senhor é o grande responsável pela minha transgressão. Afinal, o Senhor a criou.

Se masturbar pensando na amiga da mulher? Ah, vá...
Também pensamos na prima e na sócia da mulher. Também na inimiga, na mulher do amigo e na tia gostosa. Na vizinha e na atendente da farmácia. Sim, batemos enquanto estamos casados. Vai dizer que não sabia.
Muitas vezes, a bronha é dedicada a personagens com quem se interagiu momentos antes.
Durante a vida, batemos punhetas mesmo amando ou apaixonados, divorciados e solteiros, nós católicos, judeus e crentes, batemos da infância à velhice, nos banheiros, em todos eles, dos aviões, de casa, lógico, da casa do sogro, quando se consegue ir a uma festa de aniversário dele ou da sogra. Batemos antes de dormir, de manhã, sob tempestade e calor, dentro do mar e da piscina, na sauna, no cinema.

Fabi, a amiga de faculdade de Ariela, que passou a sair conosco quando se separou. Aquela delícia passou a ser a minha protagonista. Depois que a conheci, me mantive fiel: se eu fosse bater uma, onde quer que fosse, era para Fabi, pensando nela. E eu a observava com atenção, para depois, na solidão, compor a personagem da minha masturbação. Bastava fechar a porta do banheiro, imaginar que era Fabi, não Ariela, deitada na cama, e a ereção parecia ir do colo ao teto.
Contrastes.

Eu achava Fabi alegre, enquanto a minha Ariela, introspectiva. Eu achava Fabi dinâmica, interessada, cheia de projetos, enquanto Ariela vivia uma crise eterna com a carreira, com a família e especialmente com a vida, procurando entender em livros de filosofia os gritos da sua alma.

Entender ou curar?

Foram colegas na faculdade de história.

Mas Fabi largou. Focou a moda, o moderno, o futuro, trabalhou em confecções, lojas de roupa, casou com um australiano e depois com um italiano, ambos fotógrafos de moda. Rodou por aí.

Ariela, assim que acabou a faculdade, casou comigo, da Lapa, não trabalhou e entrou para o mestrado.

Fabi se especializou na moda brasileira, que ganhava destaque no mundo, costurou conexões com grandes eventos estrangeiros, Milão, Paris, New York, ela fala assim, New York, com sotaque nova-iorquino, e desfiles em São Paulo e Rio, foi consultora de um canal da tevê fechada.

Ariela não passava uma saia, não pregava um botão. Na varanda do nosso apê, lia e estudava, debaixo do sol, com protetor solar 30.

Fabi passava os verões em Ibiza, Croácia, Bari, ilha de Marajó.

Ariela detestava ganhar ou gastar dinheiro. Para Ariela, o dinheiro era o câncer da humanidade. Ela vivia de projetos acadêmicos.

Ariela não conseguia interagir com as regras do mercado de trabalho, não sabia cobrar, ganhar, investir, agiotar, poupar, acumular. Me apaixonei por esta personagem pura, boa e justa, sempre com livros de filosofia na cabeceira, citando pré e pós-socráticos, naquele jeans surrado e camiseta desbotada, como uma eterna universitária.

Ela não suportava a idéia de gastar dinheiro com roupas, panos, tecidos, enquanto a humanidade... Ah, a humanidade. Que se dane a humanidade, Ariela! Você fica tão gata neste vestido apertado que te presenteio e me custou a primeira parcela do décimo-terceiro! Vestido que ela me fez devolver, lógico. Como me fez devolver o jeans apertado que mostrava o seu umbiguinho e a penugem quase invisível do seu ventre.

Para Fabi, pecado era não ter avareza. Passou a representar grifes européias e prestar consultoria para grandes lojas: onde abrir filiais, em quais ruas, em quais shoppings, em quais cidades. Com camisas coloridas e decotes, vestidos curtos, cabelos sedosos, recém-tingidos. Falava salientando os lábios, apertando os olhos.

Já Ariela ficava grisalha sem se importar.

Fabi colocou silicone, tratava a pele moreninha como se fosse as lentes dos óculos, enquanto a bundinha maravilhosa de Ariela começava a cair, e ela nem se importava.

O telefonema, que era para ser prático, para agendarmos a mudança da amiga, durou quase uma hora, virou troca de confissões, conselhos com carinho. Garanto que, depois de desligarmos, ela pensou em mim como nunca pensou antes.

"Mulheres gostam de homens que escutam e são abertos a conselhos e confissões", teorizou Luiz Mário, meu amigo e confidente, outro recém-separado, que conhecia ambas e aconselhou: "Vai fundo!"

Na verdade, troquei confissões, porque eu queria que ela dissesse para Ariela: "Falei com ele, amiga, ele é tão legal, sensível e generoso, por que abandoná-lo, sua boba, não tem homem

assim no mercado, volte para ele, corra, antes que alguma...
O cara ainda te ama, não seja louca, ele é o cara!"

Uma mulher sente orgulho se anunciarmos que batemos punheta pensando nela? "Fabi, amiga, desde quando a conheci, bato em sua homenagem, no banheiro, no elevador, no carro, você aprova?"
Sim, batemos na fossa, na tristeza, na doença e na pobreza.

Três dias depois, o interfone tocou.
O porteiro com a voz tensa anunciou a chegada de Fabi, Sueli e Malu, ex-mulher de Luiz Mário. Ariela, tristeza, não deu as caras.
Claro que viriam só mulheres. Fabi escolheu a roupa perfeita para a ocasião em que reencontraria o ex-marido da amiga, o cara que a entendeu num telefonema estendido de uma hora, em que houve troca. Como ela veio? Chuta. De jeans e camiseta desbotada.
A confraria de mulheres independentes não me estendeu uma linha de solidariedade, se movimentou pela casa como uma tropa de elite ensaiada para a operação. Tinham listas que indicavam os bens de cada membro do casal em litígio.
Fiz um café.
Fabi carregou os bens mais delicados, como o porta-retratos, enquanto Sueli e Malu, os duráveis.
Toda a operação não durou mais que uma hora.
Sueli anunciou que Ariela pediu encarecidamente para eu ser informado que ela dispensava o sofá de quatro lugares.
Que humilhante: desprezou nossa história e patrimônio.
"E todos esses livros de filosofia?", perguntei, apontando para as estantes.

Elas checaram a lista. Nada.

"Vai ver ela quer que você leia", Sueli respondeu sarcástica.

Ficaram os livros.

Sueli e Malu desceram. Eu me deprimi naquele apartamento. Fabi me olhou com pena. Perguntou se eu pensava em alugá-lo, ou iria morar nele sozinho. Eu disse que não fazia planos e que tinha a esperança de me casar de novo, que, apesar de estar no começo de uma separação, ainda acreditava em casamentos, ou que talvez Ariela voltasse. Ela fez uma careta indecifrável. Eu disse que gostava da idéia de viver com outra pessoa, e, naquele apartamento, havia espaço para uma família.

Ela disse que, naquele momento, depois de um fotógrafo italiano e um... você sabe, ela precisava ficar sozinha um tempo, que curtia a idéia de não namorar "*com*" alguém. Me sugeriu redecorá-lo. E sair com mulheres, dar uma galinhada, porque depois, quando eu me casasse de novo, iria lamentar não ter aprontado mais durante a solidão.

A gente namora alguém, não "com" alguém. Fabi namora o fotógrafo de moda e Ariela namora o Raul, não "com" ele. Deixei passar.

Ela lembrou que Sueli estava solta. Solta? É assim que classificamos as solteiras. A compromissada ou casada está presa, detida pelas circunstâncias e regras de uma parceria, aprisionada pelo amor. Condenada?

"Solta como você", provoquei.

"É. Como eu. Avulsa", concordou.

"Como tantas."

"Como muitos."

"Como várias."

Silêncio. Disparei a falar, para ela não ir embora:

"Não tenho pressa, Fabi, aprendi a não ter pressa, ela é provavelmente uma das variáveis responsáveis por besteiras que foram ditas na vida, publicadas em revistas, jornais."

"É?"

"Já se escreveu que umbigo é um órgão, que Getúlio foi assassinado com um tiro na testa, que judeus são pessoas nascidas em Israel, que Cristo está enterrado em Jerusalém. Não ria. Desconstruíram a religião mais popular do Ocidente, negando o seu grande feito. Verdade. Ninguém é imune ao erro, aliás, a melhor parte é a seção 'errata', ou seria sessão com dois esses? Te peguei. Ninguém é imune ao erro; você, Fabi, como todos, precisou parar para pensar sessão, seção, secção, cessão. Sabia que em algumas publicações fim-de-semana é com hífen, em outras, sem, filha-da-mãe também, mas não creio que seja um termo corriqueiro. Sabia que donos de revistas também têm os seus caprichos? Em algumas delas, não podemos escrever as palavras 'azar', 'ditadura', 'judiar'. Trabalhei numa revista em que não se podia publicar a palavra 'câncer', por ordem do dono, porque a mãe também morreu desta doença, devíamos escrever 'tumor', e quando eu assumi a seção de astrologia, como descrevi quem nasceu entre os dias 21 de junho e 22 de julho?"

"Do signo de Tumor?"

"Juro. No período do didatismo, éramos obrigados a explicar entre hifens, colchetes, parênteses ou vírgulas, dependendo da norma de cada empresa, o que queria dizer a expressão citada. Escreveram 'dia útil (segunda, terça, quarta, quinta e sexta-feira)'. Você tem uma boca tão bonita."

"Você é tão engraçado, Raul."

Ela olhou o relógio.

"Por que estou falando tudo isso?"

"Não sei."

"Desculpe."

"Tudo bem."

"Eu não estou bem."

"Tadinho. Mas passa."

"Jura?"

"Passa."

"Promete?"

"O tempo."

"O tempo..."

Silêncio.

Então, confessei:

"Fabi, na verdade, gosto de fazer supermercado pensando no que a outra pessoa gosta, gosto de dar presentes, cozinhar, ficar em casa vendo tevê num sábado quente ou chuvoso e jogar gamão, tranca, buraco, xadrez, par-ou-ímpar, de ver eclipse da janela, a outra se vestir e escolher com ela as roupas, de ser aquele cara que julga se está bom ou não, se ela devia sair de cabelo preso ou solto, de botas ou sandálias, de saia ou vestido, de cinto ou sem, com colar ou sem, com brincos de prata ou ouro, se dá para ver a marca da calcinha, sou aquele cara que gosta de sentir o mesmo perfume na nuca todos os dias, que gosta de passar xampu no cabelo da mulher, que gosta de passar os dedos nas dobras dos braços, na barriga, de enfiar o dedo na boca e orelha dela, de falar besteira durante o sexo, de beber vinho e trepar na sala, de dar sorvete na boca ou comer juntos todo o pote de uma só vez, de ficar a noite toda no escuro, sem acender as luzes, ouvindo todas as músicas marcantes da vida, de alugar três DVDs e não assistir a nenhum."

Não tinha mais pena no seu olhar. Continuei:

"E como é bom lavar a louça a quatro mãos, com aquele detergente neutro e a água quente se misturando com o azeite da salada, e depois passar a espuma do detergente na cara dela, de nos beijarmos e abraçarmos com a mão toda lambuzada, de ficarmos um no colo do outro na piscina, de nos deitarmos na varanda em dia de calor, de passarmos protetor solar, hidratante, de falsificar a assinatura do outro em boletos, de lermos juntos os resumos que saem nos guias dos jornais, de dividirmos uma pipoca, um chocolate, um biscoito Globo doce ou salgado, um coco na praia, uma água com gás, umas gotas de dipirona sódica, uma maçã, uma perna de carneiro, um pudim de leite, uma vitamina C, a rotina, a cama, a raiva, o encanto, uma piada, um pôr do sol, a escova de dente, uma caneta, um livro, angústia, uma dúvida, um sonho, um projeto, uma fofoca, um torpedo, um momento..."

O celular dela tocou.

A tropa de choque em alerta.

Nos despedimos só nos acenando.

Nem esperou pelo elevador.

Foi pela escada.

Assim que fechei a porta, olhei o sofá. Vou mudar o seu forro! Deixá-lo bem branco e áspero, para ninguém mais sentar em você.

Dizem que o homem que pensa muito ri da vida.

E o que sente muito, chora.

Descobrir o sentido da vida talvez seja a missão de cada um: o sentido.

Eu deveria ligar para Ariela e perguntar se este jogo, pensar ou sofrer, é a matéria-prima dos filósofos. Ela me ensinou que, para os existencialistas, o homem passou a ter angústias depois que descobriu que é diferente dos seres imóveis, as pedras, e sofre, porque o destino não está predeterminado, mas depende das próprias escolhas.

"Pagaram para estes caras descobrirem isso?", perguntei.

Ela riu.

"Kierkegaard herdou terras", ela contou.

"Quem é o sortudo?"

"O pai do existencialismo, baby."

Ariela me ensinava tanta coisa: tinha paixão pelo conhecimento, debatia qualquer assunto com calma, respeito e tolerância.

Comprei o caderno de capa dura, como sugeriu: pôr para fora.

Abri e comecei a escrever um poema, o primeiro da vida.

Só uma linha:

"Com ela eu repartia."

O bloqueio criativo, tão famoso na vida dos escritores, apareceu logo na primeira linha. Meu poema só tinha: "Com ela eu repartia."

Interrompi a minha promissora carreira de poeta e fechei o caderno. Talvez eu tenha sido o único poeta desde Homero a escrever um poema de uma linha. "Com ela eu repartia." A minha grande obra poética até então.

Dor inspira?

Seria bom se o crítico, antes de escrever uma resenha, imaginasse ser o autor da obra, pensasse nas dificuldades por quais ele passou, nos alcances da sua ousadia (ou fracasso!). É um exercício que todo jornalista deve fazer antes de iniciar uma pauta. É um exercício que um pai deveria fazer, quando o filho pede para salvar a mãe, e que o filho deveria fazer, quando sabe muito bem que a morte é democrática.

Seria ideal se o homem se colocasse eventualmente na posição da mulher, e vice-versa, se você, Ariela, se colocasse no meu lugar, se você, amor da minha vida, antes de partir, vivesse os meus dilemas. Ia me entender e me perdoar?

Ariela, por que foi embora tão de repente?! Como você me confunde! E as vantagens? Se o ingresso do show imperdível está esgotado, saco a minha carteira de jornalista do bolso, dou uma "carteirada", meu amor, para encerrar impasses e abrir portas. Você pode vir comigo. Você sabe, tenho sempre direito a "mais um". Buscamos ainda os caminhos que nos levam à área VIP, baby, onde a bebida e a comida costumam ser fartas e de melhor qualidade. Somos a elite. Nos querem em seus eventos. Vai deixar a Corte? Você sabe muito bem, jornalistas são endeusados, mimados. Só os otários não aproveitam. Enquanto a massa se aperta, apesar de ter pago caro, o jornalista esperto leva a esposa para a área de banheiros limpos e manobristas. Paixão, vai sair fora?!

Seria ideal se a puta se colocasse na posição do cliente, e vice-versa, se o jornalista se colocasse na posição do leitor que acredita que Cristo foi milagrosamente ressuscitado com testemunhas, se o forte se colocasse na posição do fraco, e vice-versa, se o cliente se colocasse na posição do garçom, ou do caixa, do farmacêutico, do motorista e cobrador, e vice-versa. E se o juiz se colocasse na posição do réu, Excelência? Chama-se alteridade.

Por que você não se colocou na minha posição um segundinho apenas, meu amor?

E se os leitores se colocassem na posição do repórter, que se colocasse na posição do diretor de redação, que se colocasse na posição do anunciante, que se colocasse na posição dos leitores?

Meu cérebro triste fervilha.

O desespero faz da filosofia poesia.

Preciso planejar, aprimorar minhas idéias.

Nos três dias seguintes, andei pela casa declamando em tons diferentes o meu excêntrico poema. Entonações, ênfases e gestos exagerados. Eu bradava:

"Com ela eu repartia, com ela eu repartia, com ela eu repartia..."

Três dias em dúvida se pontuava ou não o meu encanto, "com ela, eu repartia", ou se o transformava numa questão existencial, trazendo o leitor para a minha dispensa de dúvidas, "com ela, eu repartia?"

E se você se colocasse no meu lugar, Fabi?

Ou no lugar de Ariela?

Então, no terceiro, para ela eu telefonei.

Na verdade, muito tempo depois criei a minha obra-prima fuzilante:

"A segunda vez que te conheci."

Deu mais trabalho, pois havia variações: "a segunda vez que a conheci", "a segunda vez que nos conhecemos", "na segunda vez que te conheci", "na segunda vez que a conheci"...

Um poeta pode passar a vida debruçado e reescrevendo um mesmo poema. "A segunda vez que eu te conheci". "Na segunda vez que nos conhecemos"...

Escritores precisam ter convicções. Passei horas até decidir ficar com a sua forma original, revelando coloquialismo e contemporaneidade, marcas da minha obra poética, sintomas de um estilo telegráfico: "A segunda vez que te conheci."

Um poeta inspirado, prático e organizado.

Estava planejado.

Eu ligaria procurando por Ariela para decidirmos sobre a nossa conta bancária conjunta. Um recado banal, mas significativo. Nas entrelinhas: um ex-marido dedicado, preocupado com as finanças de ambos.

Fabi atendeu. Me atrapalhei todo.

"Oi, Fabi, é o Raul, tudo bem? Ela não me largou porque falo palavrões. Foi porque trabalho demais. Fui frila, estagiário, trainee, ela não reclamava, gostava de me ler, comentava, acordava antes e me lia, lia e ria, especialmente quando fui repórter cultural, um péssimo repórter cultural, um erro, fiz até críticas, avaliei peças, livros e filmes, procurei adjetivos inéditos, que maluquice, adjetivos entram em moda, 'incensado' virou moda, como já ficou na moda 'solar'. É, palavras entram em moda, 'paradigma', 'sinapse', 'plataforma', 'interface', 'DNA da empresa', 'proativo'. Adjetivos não devem ser utilizados em jornalismo, concordo, só discordo de quem defende que boa literatura é aquela sem adjetivos, porque um adjetivo reduz uma descrição. O adjetivo é uma das maiores invenções da humanidade, não é, Fabi? Foi quando nos distanciamos dos instintos e passamos a qualificar as coisas de acordo com a única opinião: belo, bom, bonito, ruim, gostoso, fraco, forte, inerente, marxista, fofo, irado, sinistro, anacrônico, histriônico, complacente. Já os críticos podem, devem, abusar dos adjetivos, ruim, bom, feio, go-to-so, go-to-si-nho, você ri, tem roupa que não sai de moda? 'Emblemático' é outro adjetivo que não sai de moda, 'ácida', para descrever uma linguagem, até eu já usei, e muito. Linguagem ácida define tudo e nada e soa bonitinho, saboroso, go-to-so..."

Contei que segui o conselho da ex e comecei a escrever num caderno. Exorcizar. Escrevi um poema. Me dei conta de que falei da ex.

Mudei de assunto, que comprei revistas de decoração, que andei pelo shopping de móveis, feira de usados na praça do bairro, encomendei bobagens. Perguntei se ela não poderia me ajudar a escolher o forro do sofá. Claro, quando, ela perguntou. Hoje, amanhã, depois de amanhã. Sábado, domingo... Amanhã é bom. Você passa lá em casa?, perguntei. Sim, passo. A que horas? Sei lá, oito, nove? Oito é bom, então tá, oito horas, amanhã, lá em casa, fechado.

"Pra '*mim*' ir de metrô, eu desço aonde?", perguntou.

"Na Consolação."

"Ah. Vou de metrô. Dar um passeio."

"Isso. Vem. É divertido."

E desliguei frustrado. *Pra mim ir de metrô*?! Mim não vai de metrô, Fabi. Mim não faz porra nenhuma! Mim não quer banana. Mim esperava que você usasse corretamente o pronome pessoal. Para você vir de metrô, eu ir de metrô, nós irmos de metrô, um dia, a algum lugar, num passeio divertido, descemos na Consolação.

Ensine a ela, como Ariela tantas coisas lhe ensinou com didática, precisão. *Mim não, Fabi. Eu. Para eu fazer, andar, comprar, lamber, mexer, abrir, enfiar, subir, colocar, ouvir, cuspir, sonhar... Para eu sonhar, Fabi.*

Ela apareceu de jeans preto e camisa azul. Nenhum decote, nenhuma curva acentuada, nem cor berrante. O mais arrojado era o par de tênis de oncinha. E no cabelo uma fivela colorida, com uma flor.

Eu sabia que, para ela, estava sendo mais difícil do que para mim: entrar naquele território marcado pelo matrimônio encerrado recentemente. Era o último lugar em que você deveria estar, se toca!

O que eu queria, uma minissaia provocante, um decote abusado? Ela pisava num campo minado, estava curiosa, e toda mulher é curiosa.

A minha ex-mulher, o amor da minha vida, sabia onde ela estava?

Pensando bem, por aparecer com uma roupa abusadamente comum é que me dei conta de que havia algo no ar.

Calma.

Não devo.

Devo.

Não!

Vou estragar tudo.

Vou apenas enrolar, para ela informar a Ariela o quanto eu ainda a amo, o quanto confuso, carente, desesperado e infeliz espero por um milagre. Aconselhe a amiga. Diga, Fabi: "Não existem homens como ele na cidade, preste atenção, não jogue fora anos da sua vida, a paixão acaba, amor não."

Friamente, falamos de cores, forros, tecidos. Aproveitamos e falamos de cortinas, lustres, pisos, colchas, espelhos, quadros, porta-retratos, porta-chapéus, porta-casacos, molduras. Jogamos outras almofadas no longo e simbólico, perdão, "emblemático" sofá de quatro lugares.

Para começar uma vida nova.

Depois, silêncio.

Passei a falar sobre a minha maldição:

"Já reparou na quantidade de filmes cujo resumo no jornal informa que se trata dos 'encontros e desencontros' de fulano. O que quer dizer isso? Fulano encontra alguém e, no dia seguinte, não o encontra. Por que não usar 'certezas e incertezas', 'virtudes e defeitos', 'sonos e insônias', 'manhãs, tardes e noites'? Isso. 'O filme trata das manhãs, tardes e noites de fulano'."

Ela riu.

"Você ri de MIM. EU gosto de fazer você rir. Você é alegre, dinâmica, bonita, gosta do que faz, elegante, saudável. Seu rosto inteiro ri. EU gosto de te ver. Sabia? Dá para EU ir de metrô à sua casa? Quer um café?"

Enquanto eu passava o café, ela examinava os ímãs da geladeira. Um deles prendia uma foto do ex-casal. Tirei-a discretamente e enfiei no bolso.

Ela leu em voz alta o quadro pendurado:

A MALDIÇÃO DO JORNALISTA

1. Não terá vida pessoal, familiar ou sentimental.

2. Não verá o filho crescer.

3. Não terá feriado, fins de semana ou outro tipo de folga.

4. Terá gastrite, se tiver sorte. Se for como os demais, terá úlcera.

5. A pressa será o único amigo, e as refeições principais serão sanduíches, pizzas e pães de queijo.

6. Os cabelos ficarão brancos antes do tempo. Se sobrarem cabelos.

7. Sua sanidade mental será posta em xeque antes que complete cinco anos de trabalho.

8. Dormir será considerado período de folga; logo, não dormirá.

9. Trabalho será o assunto preferido, talvez o único.

10. As pessoas serão divididas em dois tipos: as que entendem de comunicação e as que não.

11. A máquina de café será a melhor colega de trabalho, porém, a cafeína não fará mais efeito.

12. Happy Hours serão excelentes oportunidades de ter algum tipo de contato com outras pessoas loucas como você.

13. Sonhará com sua matéria. E não raramente mudará o título dela e algumas palavras enquanto dorme.

14. Exibirá olheiras como troféu de guerra.

15. E, o pior, inexplicavelmente, gostará disso tudo.

"Ela me largou por isso. Tenho certeza."
"Duvido."
"Como você sabe?"
"Eu sei."
"Ela te falou?"
"Não."
"Então, por que foi?"
"Você não pára de pensar nela?"
Me olhou com pena.
Ora.
Mirei aqueles lábios desafiadores.
Segurei seus braços, grudei minha boca na dela, enfiei minha língua com tanta força, que parecia que ela, a língua, perfuraria sua nuca, atraída como um ímã à geladeira.
Tomou um susto tão grande, que não teve outra reação a não ser fechar a boca.
Continuei, como uma broca perfurando, em busca do lençol freático.
Grudei.
Ímãs de geladeira começaram a cair.
Então, aos poucos, ela passou a corresponder.

Um sonho!

Um sonho!

Tudo atrapalhado: aquele abraço em que os braços não se encaixam, o rosto não encontra a inclinação certa, os dedos engancham em brincos e cabelos, e dentes se batem. Foi um beijo bom, intenso, desconcertante. Go-to-so, saboroso. Uma sinergia... Emblemático.

Tomamos o café em silêncio, nos olhando através das xícaras.

"Parei de pensar nela."

"Reparei."

E sorriu.

Fomos para a cama…

Se foi bom?

Ora... Foi incrível! Foi bonito, forte, complacente. O corpo de Fabi era mais harmônico do que nas minhas fantasias. Sua performance? Quer um bom adjetivo para descrever a sua performance? Perfeita.

Performance não é o termo adequado para iniciar a descrição de uma noite como aquela.

Fabi era muito mais gostosa do que minha imaginação presumia. Um baita tesão! Ela ficava sobre mim e me lambia muito, dos pés à cabeça. Sua boca, com aqueles lábios que saltam, engolia a minha. Seus peitos são lindos. Sua bunda, linda. Suas pernas, braços, ombros, queixo, pele da cor de mogno, tudo lindo. Viva o adjetivo lindo. Que por sinal é lindo.

Descobrimos que havia uma química nova e intensa a ser explorada.

E não paramos.

O que fodeu com os meus planos.

Gostei da translação. Gosto de usar a palavra translação. Gosto também de aliteração. Lindas palavras. Os verbos amar, cuidar e escolher têm a mesma raiz no latim. Já ensinar e seduzir têm outra mesma raiz. Vocação é uma moeda. E aprender?
Cada dia aprendo algo novo. Não adianta estudar as uniões. Não há um padrão.
Não é possível fazer comparações, escrever uma teoria. Ninguém entende.
Nunca entendi Ariela. Me largou por quê? Comecei a ler sem parar os livros de metafísica de Ariela.
Amar, cuidar e escolher...
Quero escrever sobre tudo e mais.
Quero exorcizar.
Contar.
Repartir.
Com os leitores, vou repartir.

"Vida de nenhum jornalista dá um livro", me disse Cardoso, fotojornalista, colega da revista, décadas de casa, amizade e mau humor.
Estávamos no balcão do Espaço 1928, nosso ponto de encontro, um prédio tombado pelo patrimônio histórico e restaurado, em cujo alpendre um brasão em alto-relevo indica o ano da sua construção.
É o "fim-de-noite" de jornalistas amigos. Decidi colocar hífen, já que designa uma ocasião, não o fim de uma noite.
Cardoso. Das antigas, saudosista e rancoroso. Eu não saberia dizer se o rancor nasce da saudade, ou se é o contrário. E não me interessa saber se um saudosista tem realmente saudades de um tempo que passou ou medo de um que ainda vem.

Gostar do que não é mais?

Não gostar do que ainda não é?

Cardoso era apenas um bom fotojornalista. Nunca expôs em bienais e galerias de arte. Não ganhou prêmios. E pelo visto não conhecia a simbiose entre literatura e jornalismo, dos cronistas aos folhetins, de Balzac a Dickinson, de Flaubert a Machado de Assis. Sem contar que a matéria jornalística gerou alguns dos maiores livros de todos os tempos, de Euclides da Cunha a Hemingway e Capote.

Luiz Mário, também recém-separado, o dono do Espaço, discordou:

"Que bom que você tem projeto de escrever. Eu não sei o que estou fazendo. Malu me largou, e minha vida se foi. Toda vez que acordo, penso: mais um dia idiota para ser vivido. Toda noite quando vou dormir, penso: mais um dia idiota que vivi. Eu não conseguiria escrever uma linha sobre o que estou passando, porque não conseguiria descrever a dor que sinto", disse Luiz.

"Você pode escrever sobre um homem sem encantamento. Alguns medíocres viveram grandes histórias, merecem biografias, relatos. É a síndrome de Forrest Gump, a humanidade atual é regida e testemunhada pelo homem comum", teorizei.

"Tom Hanks é um débil mental", disse Cardoso.

"Tudo indica que o mundo será do cidadão comum. Não há mais intermediário, o comum faz arte e história, não os mitos, os imortais. Sim, posso escrever livros, fazer poesia, filosofar, contar história, repartir."

"Você está animadinho assim por quê?"

"Ele comeu a mais gostosa da cidade", disse Luiz Mário.

"Quem?"

"Você sabe quem."

Amar, cuidar e escolher...

"Como você sabe?"

"Raul, adivinha..."

"Elas te contaram?"

"Sueli me contou."

"Ariela sabe?"

"Não sei."

"Será que Ariela sabe?"

"Deve saber."

"Como você sabe?"

"Mulheres contam tudo."

Depois da noite em que trepamos pela primeira vez, e depois da ressaca moral — pois fiquei com a melhor amiga daquela que eu amava e queria de volta, e ela com o ex da amiga que disse ao ir embora que eu era o homem da vida dela —, depois de gozarmos três vezes, Fabi não foi para um hotel, nem para a casa da mãe, nem tomou banho, ela se foi para a casa que dividia com Ariela, sem temer que a amiga estivesse acordada ou tivesse um olfato apurado.

E passou a me visitar freqüentemente.

Não debatíamos decoração.

Trepávamos.

Havia silêncio.

Depois trepávamos.

Silêncio? Eu não estava acostumado a ele. Bem, pelo menos, com Ariela, não o conheci.

Lá vêm as comparações. Lá vem Ariela foder com as minhas provações.

Ironia: com Fabi, eu me queixava, falava da dureza da separação e da tristeza, do vazio e da falta que Ariela fazia — um entorpecido contraditório que não percebia que na dureza da separação e apesar dela descobria o melhor sexo da vida. A desforra que ofereci à devastadora separação: ser um canalha.

Fabi sentiu falta de uma justificativa para aqueles encontros, um urdimento a mais, temperos que dessem sabor a uma relação que só tinha a foda como fator de liga. Decidimos sair numa noite andando pela avenida Paulista.

Só que não queríamos ser flagrados pela ex, amigos ou parentes numa fila de cinema ou teatro, num restaurante ou dançando. Não estávamos prontos para a inquisição que nosso caso deflagraria. Queríamos apenas passear, apesar de compormos um casal ilícito.

Então, decidimos ir para um lugar privé.

Fomos para um hotel.

Já que estávamos lá, trepamos até servirem o café-da-manhã gratuito.

Que comemos em silêncio.

Culpa?

"Algumas mulheres precisam definir uma relação com mais precisão e, dependendo da idade, urgência", ensinou Luiz Mário, profético.

"Ela sabe que eu só quero sexo."

"É o que você pensa."

"Ela quer me namorar?"

"O que você acha?"

"Mas ela é a melhor amiga da mulher que eu amo."

"E daí?"

"Como e daí?"

"Que você ama, mas que não te ama."

"Como você sabe?"

"Ela não se foi?"

"Sim, mas..."

"A mais gostosa te quer. Aproveite. E aí?"

"E aí, o quê?"

"A fama corresponde aos fatos?"

"Não temos muitos assuntos. Só eu falo."

"Se você precisar de assunto e quiser conversar, ligue pra mim."

Meses depois, a conversa apareceu.

Fabi começou.

"Raul. É só sexo?"

Foi assim mesmo. Pouco depois de contrair os lábios salientes, tremer toda, gozar e desabar exausta. Assim mesmo, "é só sexo?" A dúvida que aterroriza o começo de uma história, só trepamos, mas vai rolar algo a mais?, está bom assim, mas precisamos dar um passo a mais, já são meses, já é uma história, conseguiremos ficar nessa, sem tocar no assunto, nos escondendo?, é só sexo, é só para treparmos, é só tesão, somos apenas dois corpos que se encaixam, são os corpos que se querem, sem amizade, compromissos, amor, pactos, você só quer me chupar, aliás, nem é você, é a sua boca safada que quer lamber, chupar, é a sua mão curiosa que quer acariciar a minha pele cor de madeira de lei, são seus dedos que querem enfiar, seu pau que quer me lambuzar, é só sexo, até quando?

"Claro que não", respondi.

Ela fez um longo silêncio e disse, levantando da cama:

"Não sei o que eu temia mais, ouvir esta resposta, ou que era só sexo."

"Mas você gosta de foder comigo?"

Ela foi se arrumar.

"Sorry. Mas você gosta de fazer amor comigo, deitar comigo, fazer nenê, fornicar, transar?"

Entrou no banheiro.

"Copular? Volta aqui. Volta, vai!? Please. Volta, linda. Volta aqui, chuchu, moreco, honey, môrrr, pretinha... Volta, gostosa, tesuda, vaca, piranha, vagabunda!"

Voltou.

"Sacana, sem-vergonha, devassa, galinha..."

"Adoro quando você é vulgar", ela disse.

Deitou de novo.

Começou a me acariciar.

"Me xinga!"

"Fútil! Ignorante! Analfabeta!"

Começou a me contar, enquanto me masturbava, que existia um cara, sim, na vida de Ariela, um fazendeiro de Vassouras, por quem ela se apaixonou.

Claro.

Tinha um cara.

Elas só vão embora quando têm um cara.

Fabi passou a descrevê-lo, enquanto me chupava, um cara com tração nas quatro. Falava e chupava. Ele dirigia uma D-20, usava chapéu de caubói, barba malfeita, camisa para dentro da calça apertada, um cinto com uma fivela grande, usava botas, era sorridente, calmo, mas se provocado se transformava num touro.

Tudo se tornou claro.

Fabi me comendo.

Fabi me namorando.

O diálogo na primeira noite: "Ela me largou por isso." "Duvido." "Tenho certeza." "Não deveria." "Como você sabe?" "Eu sei."

Um ciúme me deixou engasgado. Eu tentava ficar com Fabi. Tentava existir. Mas quando ela subiu em cima de mim, eu só pensava na minha amada Ariela cavalgando feliz em um vaqueiro forte como um touro, dedicado como um cão, amável como uma flor. Gozei com ódio nos dentes.

Encontrei a salvação no trabalho.
Me enfiei na redação, sem querer sair de lá por três dias. Lá, o frenesi é tamanho, que se esquecem traições, doenças e até mortes. Podemos ficar num canto emburrados, com o computador ligado, e respeitosamente ninguém interromper.
Pode ser o lugar mais solitário do mundo. Um paradoxo.
É comum morrer a mãe de um jornalista, e ele, no dia seguinte, aparecer para trabalhar. Se instala diante do seu computador e sofre o seu luto só. Cardoso era o único que tinha o direito de sentar ao meu lado e cortar a minha concentração:
"Você está um lixo!", ele disse.
"Estou me casando de novo."
Ele respirou fundo, se levantou e:
"Isso é grave..."

Pobre Ariela.
O destino não foi justo com ela, e juro que não tive nada com isso.
Ela me largou por causa do cara. Conviveu com ele, enquanto eu conhecia Fabi no carro, elevador, cozinha, banheiro do restaurante, varanda, sofá e, eventualmente, na cama em que dormi por seis anos com o meu antigo amor.
Mas o cara morreu. Caiu do cavalo. Literalmente. Num acidente besta. A mula do cavalo empinou na hora errada. O corpo do vaqueiro se dobrou para trás. Ele caiu com a nuca na mosca: uma pedra pontuda, que perfurou a caixa craniana

e rompeu uma veia, num gramado em que só havia uma pedra, num dia ensolarado, sem vento, nem nuvens ou ameaças meteorológicas, um dia dos mais estúpidos para morrer. E ninguém sabe explicar por que o cavalo calmo, o preferido do patrão, empinou ao lado de uma pedra pontuda, a única da região.

Foi Fabi quem me contou com muitos pêsames.
Exatamente no dia em que se mudou para o meu apê, digo, apartamento que Ariela e eu montamos em Cerqueira César, moramos e fomos felizes e infelizes por seis anos.
Se tivesse acontecido um dia antes...
Se o cavalo calmo e preferido tivesse empinado um dia antes, e o patrão cabeceado a pedra assassina um dia antes, talvez eu não me casasse com Fabi. Como?
Iria até o velório para abraçar a viúva Ariela, que encostaria aquela cabeça frágil no meu ombro. Eu desembaraçaria aquele cabelo loiro, com cachos maltratados, que se tornavam grisalhos, beijaria a sua testa, a sua nuca, diria volta para mim, baby, eu te protejo, te amo, eu cuido de você, nada de ruim nos acontecerá. E nunca mais a largaria. Duvida?
Mas o cavalo burro resolveu empinar um dia depois, no dia em que Fabi entrou com malas, caixas e mais caixas de roupas, alguns móveis leves, poucos livros, e o corpo sarado que me deixava de pau duro só de ver, mais aqueles lábios salientes, provocativos, desafiadores, chamando para um duelo. Entrou com o andar provocante, como se o piso estivesse grudento, com aquela pele morena, cor de madeira de lei, e aquele cabelo castanho sedoso, em que eu adorava me esfregar, digno de um comercial de xampu. De xampu, não, de condicionador. Considerando que alguns jornais preferem shampoo. Nenhum, champô, a variação gráfica lusitana. Pa-

lavra alguns jornais preferem lusitânica. Condicionador era creme rinse. Lembrou?

Casar de novo.

Mergulhar no trabalho.

Na droga do trabalho.

E constatar que eu envelhecia, num ambiente em que a juventude é o combustível. Quando erguia a cabeça, via na redação uma garotada que nasceu quando eu dava os primeiros passos na profissão.

Sou do tempo em que, no pescoção, quando fechávamos edições especiais, quando um desgraçado de um cara importante morria numa sexta-feira, pior, quando desencadeava uma revolução aparentemente bem-sucedida, o entra-e-sai nos banheiros da redação era constante. Escutávamos giletes e cartões batendo fileiras de cocaína em tampas de privadas. Todas elas riscadas. Podíamos pegar alguns grãos com os dedos.

Sou do tempo em que jornalistas eram bêbados, broxas, loucos, paranóicos.

Demitiram Natália. Ela entrou comigo na "casa". Já fez de tudo, rodou por revistas femininas, masculinas, mensais e semanais. Editava o encarte feminino — um bom guia. Acabou com a futilidade da editora anterior e falou de moda com editoriais de lojas mais populares, os magazines.

Demitiram-na.

Sem mais?

Quer dizer... Estava velha para a empresa. Com seus 45 anos, estava velha. Surpreendentemente, Natália ficou mais leve e feliz. Não só por causa da indenização que recebeu. Disse que tirou um peso dos ombros.

"Incomoda o meu trabalho, Fabi?"

"Não."

"Incomoda eu chegar tarde, trabalhar fim de semana, Natal, Carnaval?"

"Não."

"Porque você não me ama."

"Porque não me incomoda. Até gosto de ver você falando do trabalho. Você ama o que faz. É legal isso."

"Amo mesmo. Tenho orgulho de ser jornalista. Lutar pela ética. Fiz parte dos projetos de modernização da empresa, fui editorialista, apóio as transformações do jornalismo, dou minha vida e sangue, ralo muito! Você ama o que faz?"

"Amo."

"Que bom, Fabi. Você não se importa com o meu trabalho. Ama o que faz. E tem este par de tetas lindas, com bicos rosa, esta bundinha empinada, esta boca, esta boce..."

"Isso, adoro quando você é vulgar! Me xinga!"

"Eu te amo, fedorenta."

"Ama mesmo?"

"Tem dúvidas, balofa?"

"Tenho."

"Tem nada, nojenta."

"Às vezes, acho que você só quer me comer."

"Não seja vulgar."

Dessa vez, ela não riu.

"Eu te amo, sabia? Amo mesmo. Amo muito, gato. Achava que a gente não tinha nada a ver. Mas somos tão parecidos. No fundo, somos iguais! Estou apaixonada por você. Completamente. Não dá pra perceber? Morro de tesão por você. Suas mãos, sua língua. Quero passar o tempo todo com você. Ligar pra você toda hora. Fico me contendo, sempre penso em largar o trabalho e ir te visitar. Entrar no meio da redação e te agarrar. Você me ensina tanta coisa. Você me mostra tanta coisa boa. Você me leva a lugares incríveis. Não me deixa. Não me deixa, tesão, gostoso, assim é bom, assim, assim é tão bom... Me bate! Na cara!"

Amor se quantifica?
Ele está lá ou não.
Ele vai e volta.
Um casamento é como um teatro. O meu com Ariela? Uma peça existencialista, com personagens em busca do sentido das coisas, angustiados. O com Fabi? Uma comédia romântica, divertida e com muito sexo, sem questões profundas sobre "a condição humana" (entre aspas esta frase feita). Estabeleça você o debate: a comédia é um gênero inferior?
Ariela teve o vaqueiro de Vassouras.
Só ele?
Conhece as mulheres. Ouviu falar delas.
Ariela teve depois um executivo de uma corporação espanhola, um piloto da ponte aérea e estava namorando um farmacêutico especialista em remédios para impotência e supositório, além de trabalhar em ONGs, claro.

"Já vi de tudo, Fabi. Já vi uma repórter que tentou se jogar da janela da redação e foi salva por um motoboy ainda de capacete."
"Jura?"
"Vi troca de socos. Uma máquina fotográfica abrir a cabeça de um editor. Teclados voarem. Monitores derrubados. Trocas de insultos acontecem todos os dias, especialmente no horário do fechamento. A redação é uma dinamite acesa durante o fechamento. Mas a chama sempre se apaga no meio do pavio."
"O que é fechamento?"

Silêncio. O que é fechamento?

"É quando a gente termina de preparar a revista ou o jornal. É a hora em que tudo tem que estar pronto."

"Imagino."

"Adoro o frenesi. Sou viciado nele. Nunca me entedio. Fora que não sei fazer outra coisa. Além de ser vulgar com você, puta barata, fedida!"

"Isso... Ofende, gostoso!"

"Vadia porca!"

"Me chupa."

"Que fedor..."

Cardoso comentou:

"Tenho certeza de que, quando eu for demitido, o que está para acontecer, entrarei num buraco sem fim. O que vou fazer da minha vida? Serei como os escravos que, depois de libertos, perambularam pelas fazendas, vadiaram pelas cidades e plantações cultivadas por seus ancestrais sem distinguir a fruta madura da podre. Nenhuma outra empresa de comunicação vai me contratar. Velho demais. Vou pegar a minha indenização, me trancar em casa, beber o que não bebi e esperar o tempo passar, lendo as revistas e reclamando das fotos mal enquadradas. Como vou morrer mesmo, estou pensando em voltar a fumar."

Ariela continuava sem filhos. Suas relações fracassaram. Juro que não tive nada a ver com isso, nem desejei o insucesso amoroso ou profissional. Mas, tá, confesso, gostei de saber que ela se dava mal.

Então, foi inesperado.

Quer dizer...

O casal Fabi e eu, união estável, foi ao cinema na sessão da meia-noite de sábado para domingo; nosso programa favorito.

Depois, passamos num drive-thru e nos esbaldamos, como dois suicidas que não se responsabilizam pelo que entregam ao corpo. Ignoramos os níveis alarmantes de triglicerídeos, sódio, potássio e colesterol do último check-up. Fabi pagou. Apesar de ganhar bem mais do que eu, lanches baratos, ela pagava.

Em casa, ela entrou direto para o quarto.

Chequei os e-mails, a secretária eletrônica, pensei em entrar no site da revista, mas passei. Ela iria reclamar que desperdiço a vida trabalhando por uma causa perdida, a do jornalismo impresso. Nada disso! Era Ariela quem reclamava. Chequei e-mails e a revista já com a versão online atualizada.

Missão: tirar carne do freezer para o almoço. Cheguei a perguntar em voz alta, com a porta da geladeira aberta:

"Peixe, frango ou carne?"

Ela, silêncio. Acho engraçado chamarmos carne bovina simplesmente de carne. Ninguém fala "peixe, frango ou boi". Certo dia, a diarista reclamou que não tínhamos mistura. Abri a geladeira, tinha tudo, eu apontava, olha, tem tudo, menos carne bovina, abri a despensa, olha, tem tudo. Mas não tinha carne bovina que, para ela, é mistura.

"Frango", gritou.

Tirei a peça de frango e deixei sobre a pia. Olhei o relógio de parede, sempre adiantado. Por que o maldito, comprado numa loja cara de decoração, adianta? São 3h15. Vamos acordar lá pelas 11h. Almoçaremos lá pelas 15h. O frango ficará 12 horas descongelando na pia. Notei a luz do microondas piscar e ainda tive a calma de acertar o relógio; dez minutos a menos que o da parede.

Quando entrei no quarto, ela estava deitada na cama com uma camiseta velha zapeando a tevê? Não. Dormindo de costas, ou passando hidratantes? Nada. Estava em pé, fumando um baseado na janela. Quando começou a fumar?

"Raul. Senta, precisamos conversar."

Precisa dizer mais?

Obedeci.

Também num domingo. Me perguntei por que então escolheu frango. Foi depois de um cineminha básico e um fast food bombástico que decidiu que "precisamos conversar"?

Não.

Tudo planejado.

Ela disse que não se encaixava nos meus planos. Mulher quando diz isso mente. Deixou de gostar. Por quê? Adivinha. Isso, porque tem um cara!

Ela explicava por que tomava a decisão, que me amava, mas só amor não basta, e eu só pensava que chegou um cara, que dorme com ela quando? Explicou que nunca mergulhei de cabeça na nossa história, não a amava, que talvez eu amasse Ariela, com quem eu tinha mais afinidades, "uma das mulheres que acompanha a sua cabeça".

"Acompanham", corrigi. "Uma das mulheres que acompanham a minha cabeça. Acompanha tem como sujeito o termo que antecede o pronome 'que', ou seja, mulheres, que está no plural."

Ela disse que precisava ficar sozinha, tocar a sua vida que se renovava, que eu não compartilhava suas dúvidas, que ela se dedicou aos dois, mas que parecia que eu nunca esquecia Ariela, e que agora chegou a vez de se dedicar a ela, que será bom para ambos, essa pataquada toda.

Até me dando um pé na bunda Fabi ficava um tesão, que vontade de me jogar sobre ela! Quem come a minha garota semianalfabeta?! Um cara. Que ficava com ela quando? Às tardes?

Num estacionamento público subterrâneo, em pé no trabalho, na sala do xerox, na de café. Pensei em descarregar um revólver nela, pá-pá-pá-pá-pá! Pensei em descarregar o revólver no cara que deve ser cheiroso, divertido, ter grana, cretino que não tem a menor consideração e dorme com a minha mulher.

Fabi disse que ia voltar a estudar. Fazer faculdade, mudar de vida, e eu sabia que o cara tinha incentivado, enquanto euzinho, em anos, escutei aquela lengalenga de mudar de profissão, fazer faculdade e achava um tédio, porque a conhecia, a conheço muito mais do que o filho-da-mãe que está com ela. Ela é indecisa, faz planos, mas raramente concretiza. Nada disso. Ela se renova, é ativa. Indecisa era a ex, Ariela, onde você está com a cabeça?! Como você confunde Fabi com a sua primeira mulher?! Todos os homens vêem as mulheres como se fossem uma só?! Ou de fato você nunca a esqueceu?

Vai ser patético aquela gostosa fazer faculdade com meninos de 18 anos. Todos vão se masturbar nos banheiros da "facu", como eles dizem. Os professores também. Os faxineiros, os seguranças, os mendigos que dormem na porta dos fundos. O bairro inteiro vai se masturbar pensando na minha Fabi. E ela vai trepar com todos eles. Vai dar para todo o bairro. Só para me indicar o que perdi, já que nunca esqueci a merda da ex!

Fabi continuava o discurso preparado enquanto o corno aqui escolhia a carne do domingo, otário que tentou um dia convencer a diarista de que mistura pode ser um nhoque com molho de tomate fresco, mozarela de búfala, não búfalo, porque búfalo não fabrica mozarela, e umas folhinhas de manjericão, que comprava às sextas na feira.

Será que, de novo, foi por causa do meu trabalho?

A imprensa está em crise, estou em crise, Cardoso está em crise, demitiram a Natália outro dia, môr, mas é temporária.

E nunca deixei de te comer.

Te como todas as noites.

Ela quer se separar.

Minha reação foi espontânea.

"O frango está descongelando na pia", eu disse.

Peguei a maleta do laptop, meu caderno de poesias-de-uma-linha-só, e saí.

Descobri no carro que a maleta estava vazia.

Eu deveria voltar e pegá-lo.

Mas dei a partida e fui.

Por quê? Um sinal.

Para onde vai o amor quando ele acaba? Naquela madrugada em que deixei o apartamento em que morei anos, ecoou a frase dita por Fabi: "Só amar não basta."

Sem ter para onde ir, peguei o carro que já foi de Ariela e Fabi, e fui para a redação.

Subi.

Fui à minha mesa.

Não liguei o computador. Abri o caderno de poesias, há muito intacto e escrevi:

> "Só amar não basta."
> "Só amar não basta."
> "Só amar não basta."
> "Tem certeza?"

Luiz Mário me ofereceu um apartamento vago num flat dos Jardins, que comprou quando se separou de Malu, mas nunca usou, já que ela voltou para o Rio, de onde nunca deveria ter saído, se não quisesse conhecer a decepção e a traição — como cantam os românticos.

Aceitei a oferta.

Ele me deu a chave, o endereço e só. Com vaga na garagem e uma bonbonnière na entrada, que vendia revistas, jornais, cigarros, Halls e camisinhas.

Desanimado, mostrei a chave na recepção, e uma atendente ao telefone apontou para o elevador. Nem precisei me registrar.

Surpreendeu o bom gosto da decoração do quarto, das cores da colcha à estante em que caberiam muitos livros. Um quarto alegre, com móveis de madeira clara, cozinha acoplada num armário embutido, parede com quadros abstratos, um cofre discreto, uma LCD de 32", uma cortina leve, e uma janela de ponta à ponta, com vista para os prédios dos Jardins.

Abri a janela para tirar o ar viciado, joguei as coisas na estante, liguei a tevê num canal de notícias e fiquei deitado até amanhecer, de olhos bem abertos, me entristecendo:

a) incompreendido
b) incapaz de consolidar uma relação
c) de ensinar, trocar
d) perdido
e) me perguntando se a culpa dos meus fracassos se deve a um lar matriarcal, que me tratou com mimo, excessiva indulgência, conforto e me estragou, como dizem os americanos, quando se referem a um ser mimado: *spoiled*.

Me lembrei muito da minha mãe.

Saudades dela.

Só saí da cama no dia seguinte, porque o café-da-manhã era incluso e se encerrava às 10h. Nunca, em toda a minha vida, deixei de comer um café-da-manhã incluso. *Spoiled*.

Flat suspeito, em que moravam garotas jovens, a maioria loira e sarada.

Logo na entrada, em dois sofás paralelos, garotos, executivos, estudantes, freelancers e aposentados esperavam a permissão para subir. E a maioria das revistas à venda na bonbonnière era para adultos, ou, como dizemos no meio, do suplemento masculino.

Às manhãs na piscina, que ficava no último andar, eram umas 15 meninas tomando sol, com caras de poucos amigos; ressaca, bode, maldormidas. Liam revistas. Mal olhavam para os lados.

Como se vivessem numa jornada de trabalho movimentada.

Passei a freqüentar aquela piscina.

Lamentava de noite.

Bronzeava de manhã.

Eu era o angustiado mais corado da cidade.

E bem acompanhado. Bem?

Elas chegavam depois das 11h.

Uma a uma. Carregavam celulares, revistas, pinças e cremes. Nos primeiros dias, não me cumprimentaram. Algumas mergulhavam direto na água, como que para acordar. Se estendiam em cangas, toalhas, almofadas e cadeiras. Se espalhavam pelo deck. Fumavam, falavam nos celulares, marcavam programas. E conversavam com colegas. Uma agitação, como num aeroporto, ou bolsa de valores. Os interessados ligavam dos escritórios, residências, ou já instalados em motéis. Quando elas não falavam nos celulares, conversavam entre si.

Nunca aproveitavam o silêncio.

O vazio.

O nada não traz rendimentos.

Éramos servidos por um garçom alto, magro, com algum defeito de fabricação, talvez uma demência, pois falava com dificuldade. Era gago e fanho. Tinha um braço sempre encostado no peito. Nunca o vi usando aquele braço. Fazia tudo com o outro.

Jacaré, assim o chamavam.

Requisitavam Jacaré o tempo todo: coca diet, tônica light, água com gás, suco, salada de fruta, coco.

Gritavam: "Já-ca-ré!" E ele aparecia como um cão fiel, andando torto. Andava pra lá e pra cá. Era a pessoa que mais trabalhava. "Faltou o gelo, Já-ca-ré!" E lá ia ele. "Traz o limão!" Mas ele já estava voltando com o gelo e voltava para a sua bancada para pegar limão.

Aquela piscina era mais movimentada do que muitas redações. Elas eram duras e gentis com Jacaré, autoritárias e maternais. Jacaré, o mordomo delas. E ele pelo visto se orgulhava de estar ali, colaborando para o desenvolvimento dos negócios e engrandecimento da pátria. Se sentia útil, indispensável.

"Ja-ca-ré, tem caneta?" Davam ordens, pediam, agradeciam com a mão no seu rosto, chamando-o de queridinho, benzinho, amor, davam sorrisinhos, piscadelas, beijinhos de longe, e ele sorria de volta, adorava. Desconfiei que Jacaré era o profissional da cidade que mais apreciava o seu ofício.

Ao meio-dia, metade delas se levantava para trabalhar.

Meio-dia é um horário de realização de negócios nesse mercado. Putas trabalham nos horários em que a maioria folga. É na folga dos clientes que elas atendem. Empresários, comerciantes, profissionais liberais, estudantes, desempregados, casados e turistas marcam programas de manhã e, na hora do almoço, preciosos minutos de pausa, aliviam as tensões com tesão de R$ 150 a R$ 300, no flat, motel, hotel ou residência.

Mas tinha aquelas que continuavam na piscina com Jacaré. Ou porque foram malsucedidas nos acertos dos programas, ou porque estavam temporariamente impedidas de trabalhar, recém-operadas (silicone) ou doentes. Fungos, ou melhor, infecção fúngica, como candidíase, e herpes, a varicela zoster, são comuns entre elas — só as pilantras tentam disfarçar com pós e maquiagem.

Uma garota jovem e organizada consegue fazer entre quatro e cinco programas por dia, cinco dias da semana, sem interrupções menstruais, já que usam DIU que impede o sangramento.

Não precisa fazer as contas. Dá, em média, R$ 4 mil por semana. Faturamento bruto, livre de impostos, por baixo, R$ 200 mil por ano, com pausa aos fins de semana.

Quantos você conhece que ganham isso?

A dor da segunda separação não se compara com a da primeira. Porém, não tinha outra melhor amiga da ex para aplacar a solidão e proporcionar um sexo bem-vindo como o doping.

Passei a sentir saudades de Fabi, do que ela representou na minha vida. Eu a queria para trocar confidências, opiniões sobre forro de sofá, reclamar da tristeza e trepar a noite toda.

Isso é amor?

Eu e Fabi precisávamos decidir quem ficaria com o apê: três quartos, armários, perto da estação Consolação do metrô, com terraço, vista, condomínio barato, duas vagas na garagem, sala ampla, varanda nos quartos, área de serviço espaçosa; um achado.

Mas não dei notícias. Culpei Fabi por ter me afastado indiretamente do grande amor da vida. Culpei por ser tão gostosa. Se não fosse Fabi, eu teria me mantido quieto, esperado Ariela viver o seu momento, se arrepender e voltar para mim. A morena gostosa estragou tudo!

Às 13h, pontualmente, ela chegava na piscina.
Completamente diferente das outras garotas.
Vinha de bermuda jeans desfiada, folgada e um top de biquíni.
Ruiva de verdade. Cabelos curtos. A pele branca, com sardas.
Não se arriscava no sol. Sentava na sombra, abria um laptop e, de óculos escuros, teclava. Emburrada. Nada de celulares. Não falava com ninguém. Nem entrava na água. E quando chegava, as outras se olhavam desdenhando. Ignoravam na mesma proporção em que eram ignoradas.
"Ela não vai com qualquer um, não é fácil assim, ela quem escolhe, é diferente mesmo", entregou Jacaré.
Foi assim, aos poucos, uma frase de cada vez, que Jacaré descreveu a misteriosa.
"Ela não tem uma tabela, cobra dependendo do cara, do dia, do humor."
Um dia depois, ele contou, assim que ela chegou:
"Dizem que tem um coronel por trás das suas despesas."
Coronel, ou "coroné", personagem intrigante e raro, fantasia de muitas garotas; não todas. O sujeito geralmente casado tira a menina dos programas, exige exclusividade, oferece casa e dinheiro. Torna-a uma amante de plantão. Uma civil, como apelidamos.
Ela foi a única que notou a novidade daquela piscina, foi a única que me acenou com a cabeça no segundo dia, e acenou nos dias seguintes, com um sorriso que se fechava rápido. E era a única que dizia "por favor" e "obrigada", e não chamava Jacaré aos gritos, levantava delicadamente o braço pedindo a sua atenção.

Um dia, passei por trás dela e olhei a tela do seu monitor. Jogava *Doom*. Não escrevia, nem trocava e-mails. Sentava e jogava o jogo de tiros, cujo usuário sai matando ao léu. Jogava durante uma hora e meia, até acabar a bateria. Depois, olhava a vista. Coca? Normal. Era a única que não pedia light. Coca e um xis-salada. Variava: batata frita, mandioca frita, salaminho. Era a única que não se incomodava com celulites, estrias, culotes, gordurinhas indesejáveis.

Às 16h, ia embora.

Trabalhar?

Seu nome era Carla.

4

Na quinta-feira, em pleno fechamento, numa irresponsabilidade digna de repreensão, o secretário de redação gritou com o sub, colocou a mão no peito, olhou para o vazio, caiu da cadeira, começou a ter convulsões, sem que a redação soubesse se parava e acudia, ou fechava as matérias, salvando os arquivos no sistema.

Ele se estrebuchou até morrer.

Uma equipe de enfermeiros tentou de tudo, até com desfibrilador.

É permitido morrer, mas somente depois do fechamento. O corre-corre e o pânico resultaram no adiamento da edição, que rodou apenas de manhã.

Me chamaram enquanto o cadáver ainda não fora removido do piso, exatamente na linha invisível que dividia as fronteiras da editoria que cobre o país, a economia e a internacional, para substituí-lo naquele fechamento conturbado.

O corpo foi levado. O silêncio desvendou choros esporádicos. Alguns não conseguiram mais trabalhar. Convoquei jornalistas de outras publicações para salvar a edição.

Só ao amanhecer, pudemos lamentar a morte do amigo. Amigo? Chefe. Chefe não é amigo.

No dia seguinte, não se perdeu muito tempo no velório, menos ainda no enterro. Começou o processo sucessório. Abriram as apostas. E o favorito para ocupar o cargo? Euzinho aqui, anos de casa, maturidade e disposição.

Uma nova perspectiva se abria: o velho repórter virava chefe, um que seria amigo e amado. Me senti mais vivo do que nunca. Que semana...

Eufórico, modifiquei a ordem das colunas. Promovi a editores os mais velhos e encostei os jovens incompetentes. Pedi mais texto, mais criatividade, mais vocabulário, nada de matérias burocráticas ou formais. Eu queria repertório e vida em todos os parágrafos, profundidade, análises, "sinergia", palavra da moda. Eu iria fazer daquela revista o maior exemplo de bom jornalismo, ético e bem-sucedido comercialmente, na cruzada contra os que apostam no fim da profissão.

Até receber na véspera do segundo fechamento, uma semana depois, um comunicado que me humilhou.

Marcos Resende, recém-contratado de um jornal carioca secundário, era o novo secretário de redação. Trocavam a certeza pela aventura, a experiência pela insegurança, um profissional com anos de casa, confiável, por uma incógnita, para gerenciar a publicação mais importante da empresa, uma das revistas mais tradicionais de uma das mais fortes economias do mundo.

Uma traição sem igual!

Você já desejou a morte de alguém?

Pensei neste menino, Marcos, atropelado no primeiro dia em que exerceria o cargo, trucidado por rodas de um caminhão desgovernado. Torci por ela.

Poderia ser no dia 2. Bala perdida, faca. Poderia ser no dia 3. Eu poderia contratar um assassino, que forjasse um assalto.

Já desejou a morte de alguém?

Engoli a humilhação.

Recebi tapinhas nas costas.

Continuei ignorado pelos mais jovens.

E perguntei de quanto tempo precisariam para reconhecer o erro, demitirem o infame e me recolocarem no cargo. Pensei seriamente em pedir demissão.

Mas, se eu pedisse, nada de indenização. E quem contrataria um cara da minha idade?

Claro que é normal desejar a morte do outro, um colunista desejar o espaço do outro e torcer muito pela sua derrota ou derrame, o que desocuparia um espaço de prestígio, é normal um editor invejar o furo do outro, um profissional se achar injustiçado e melhor do que o outro, achar que o seu talento e esforço não são reconhecidos, que os prêmios foram entregues a pessoas erradas, que as exclusivas foram entregues aos incompetentes, que cada texto, parágrafo, linha e título da matéria poderiam ser melhores, se estivessem em suas mãos. A desgraça do homem é se achar melhor do que seu concorrente.

Marcos era charmoso, educado, divertido, cruzava os corredores, e colegas riam. Todos sorriam. E o cumprimentavam esperançosos de que, com novo oxigênio, a empresa se renovasse.

Ele era simpático, medonhamente educado, diabolicamente paciente. Conquistador.

Um líder amado!

Logo foi eleito o jornalista mais charmoso da revista. Colocaram o resultado da pesquisa não-autorizada na coluna de entrada da redação.

Ele ficou com a estagiária mais ninfeta na mesma noite em que virou chefe. E depois catou outras colegas. Da redação e de outras revistas. Catou a editoria. Tinha charme. Tocava bossa nova no piano. Onde tinha um, ele se sentava e se exibia. Se tornou uma lenda na cidade em poucos dias.

Voltei ao meu posto determinado a conquistar a redenção. Passei a usar boné, já que a maioria usava. E tênis. Fui à reunião de pauta, mesmo sem ser convidado. Eu estava ativo, num estado de euforia que qualquer psicanalista de fundo de quintal identificaria como os primeiros estágios de uma bipolaridade iminente. Falei da minha teoria de forrest-gumpização da notícia, e que tudo indicava que o mundo seria do cidadão cordial comum, sem mais intermediário. Anunciei que só faria perfis, como chamamos as matérias de um personagem só. E eu mesmo me pautei, para o encarte feminino, de que Natália tinha sido editora. Uma matéria, não, uma crônica, com pitadas de humor, referências a dramas que REVELEM as contradições humanas. Posso mandar bala?
Não.
A crônica não foi aceita. Sem explicações.
A nova editora vetou e não deu satisfações.
Denise F., uma menina de 27 anos, que foi contratada para substituir Natália, e que, em dias, virou a nova namorada do diretor de redação, o herdeiro da empresa, chefe dos chefes, que, pelo visto, deu um pé na namorada anterior, editora de livros que provavelmente namorará o editor de economia, que largará a estagiária gostosinha que come, que já deverá estar dando para o repórter de política, casado com uma depressiva que foi contratada no ano passado por ser prima do outro herdeiro, o mais novo, que já comeu a editora de cultura, a fotógrafa bissexual, a correspondente em Londres. As ligações afetivas de uma redação lembram um mandala.
Encontrei uma segunda inimiga a quem desejei também a morte: Denise F.

Enquanto formavam um casal perfeito, eu me fodia!

Depois de algumas semanas, obriguei Cardoso a ligar para Fabi e marcar o inadiável. Fiz a lista das minhas coisas: livros, roupas e documentos.
Cardoso e Luiz foram, ficaram uma hora, tomaram café. Surpresa. Quem encontraram? Ariela se mudava para lá. Voltava para o apartamento da Cerqueira César anos depois.
Será que elas se cumprimentaram, quando fizeram a troca? Neste entra-e-sai, o único que ficou foi o longo sofá de quatro lugares.
Ariela perguntou por mim?
Sim, senhor.
E Fabi, que encontraram na garagem, também: reclamou que saí muito rápido, que não atendi mais a seus telefonemas, que queria conversar, mas eu, nada.

A segunda separação me levou a um frenesi. O trabalho foi a minha salvação. Mais e mais mergulhei nele, ignorei desafetos e sugeri mudanças editoriais, gráficas. Cheguei a me reunir com diretores de arte, fui à gráfica da editora pesquisar como economizar papel e tinta, para enfrentarmos a cruzada contra o mundo digital, conheci o processo industrial gráfico, as misturas, colas, solventes — o nosso ponto fraco era a sujeira do papel e o desperdício.
Marcos, o novo ícone do jornalismo, me chamou.
Ao entrar na sua sala, senti uma nuvem negra.
"Raul. Senta, precisamos conversar", ele disse.
Acredita?
Ele perguntou se eu tinha surtado.
Ah, vá...
Todos notaram. Lamentaram.

Jura?

Mas eu sabia. Tem outro. Repórter mais jovem, sem vícios, antenado. Quando sugerem que estamos em surto, mentem, é porque já têm outro cara!

Foi a minha outra inimiga, Denise F.? Para quem mandei um e-mail com sugestões de como melhorar o seu guia tosco, logo depois que recusou meu texto, para ela e editores, inclusive para o diretor de redação. Nem foi um e-mail rude. Cinicamente, dei as boas-vindas, sugeri mudanças e indiquei os pontos fracos da sua publicação.

Marcos me olhou com compaixão. E disse o que nunca tinha ouvido na vida:

"Infelizmente, terei que te demitir."

5

Sei que muitos jornalistas enlouquecem quando são afastados. Perdem o poder e o interesse pelo que acontece no mundo em que não podem mais intervir. Não seria derrotado facilmente. Estabeleci uma rotina no princípio. Passei a acordar mais cedo e tomar café-da-manhã às 9h.

Às 9h30, eu já estava a postos para o sol. Para quê? Para nada.

Sentava com os pés sobre a mesa de ferro.

Levava o meu caderno de poesias.

Deixava-o aberto no colo. Uma caneta na mão. Não escrevi uma só linha.

Olhava a vista do Jardim América, os ipês-roxos, rosa e amarelos, acácias, mangueiras, jatobás, jequitibás, pinhos, canelas, jacarandás, perobas, os aviões a caminho de Congonhas, a fumaça se tornando espessa, os poucos gaviões caçando maritacas tagarelas, urubus e pombas.

Fechava os olhos e não pensava em nada. Lembrei de um artigo sobre meditação: aproveitar os espaços vazios entre um pensamento e outro para ampliar tal espaço, até ele se tornar maior do que os pensamentos.

Sentia apenas os raios solares entrando pela minha epiderme, constituída por epitélio estratificado pavimentoso queratinizado, a derme, o tecido conjuntivo sobre o qual se apóia a epiderme, comunicando-a com a hipoderme.

Estava sufocado pela impossibilidade de trabalhar, denunciar, comentar, apontar, reportar ou, como nós preferimos, REVELAR.

Poesia.

Era para lá que eu deveria mover o meu vazio, o nada. Escrevi:

"Dorme sobre minha derme e pede
à epiderme que me ame."

Chamei de *Hipoderme*. Quase escrevi "pede à epiderme que volte". Mas a epiderme e a hipoderme nunca se encontram. Se encontrariam apenas numa aberração, como o amor entre um diurno e um notívago, onde o muro da derme os separa. Ou no infinito.

Poesia cura?

Eu entrava na academia ao lado e corria na esteira. Sem nenhum método.

Pegava ferros que pareciam leves nas mãos dos outros, mas eram as tarefas mais difíceis na vida de um poeta sem inspiração.

A dor nos braços e pernas me impediu de prosseguir com o treinamento. Será que exercícios físicos e intelectuais são incompatíveis, o primeiro rouba as energias para realizar o segundo? Daria uma boa pauta para uma revista de saúde.

Ariela vai gostar de saber que não trabalho mais para a empresa que me fez faltar aos aniversários dos sogros. Vai adorar que priorizo, finalmente, a qualidade de vida, a amizade e o calor humano, o calor do sol e a natureza, as árvores e os aviões no céu, que observo maritacas, ondas de uma piscina, e malho! Vai?

Às tardes, eu passeava pelo bairro.

Passava por bancas, cruzava o caleidoscópio de capas, notícias, manchetes e fotos e não parava. Não me informava. Eu não sabia da cotação do dólar, do tempo na Europa, do furacão no Caribe, do atentado à bomba em Israel, das queimadas na Malásia, dos índices Dow Jones e Nasdaq, do crime que chocou o País, do gol do fim de semana, do acidente trágico na estrada que liga uma cidade a outra, da visita do Papa, do passeio na estação espacial, do avião que caiu nos Andes, do surto de sarampo, gripe aviária, cólera, dengue, do nível das reservas, do déficit nominal, da greve, da quebra de indústrias, das fusões, do aquecimento global, aumento do nível dos oceanos, das espécies ameaçadas, e uma constatação me surpreendeu, a de que, sem tais informações, o mundo continua, é possível viver, existem notícia, fatos e relevância além da cotação do dólar, tempo na Europa, furacão no Caribe, atentado à bomba em Israel, queimadas na Malásia, índices Dow Jones e Nasdaq, do golaço, do acidente na estrada, das reservas, do risco, existe história e personagens até onde a vista alcança, existem maritacas voando, polens no ar, a reprodução de flores, o vento, as árvores centenárias crescendo a cada segundo, o vazio, o nada, espaço entre os pensamentos, Jacaré falando dos seus sonhos, a mancha de filtro solar nas costas de uma garota de programa, o toque do celular personalizado, e, no dia seguinte, outro toque, cores berrantes de biquínis, ondas numa piscina, pegadas de pés molhados, que se evaporam em segundos, insetos voando em torno de migalhas ou de gotas perdidas de um refrigerante diet ou light, que é importante saber da cotação do dólar, tempo na Europa, furacão no Caribe, atentado à bomba em Israel, queimadas, índices Dow Jones e Nasdaq, crime que chocou, novas leis, greve iminente, quebra de indústrias, fusões, aquecimento global, aumento do nível dos oceanos, mas não vital.

Sabemos que a maioria das notícias se repete, mas a dinâmica do empreendimento, a vaidade, a concorrência, o dinheiro, a busca por prêmios e promoções, nos transformam em dragões que mordem a própria cauda.

O que é importante na vida?

Manter-se vivo.

Vi Carla tomando sorvete num banco da calçada. Nos cumprimentamos de longe.

Entrei na sorveteria.

"Sorver a minha garganta, a minha fome, a minha sede..."

Anotei no meu caderno. Pedi um de creme, apesar da lista de sabores exóticos, dos cremosos aos frutados, quantidade que só confunde um poeta indeciso, mergulhado em dúvidas, tormentos. Virei para dividir meus minutos de ócio com ela, que se foi. Vi de longe ela entrar numa loja cara de bolsas italianas.

Dois dias depois, encontrei-a num café em que havia dois computadores conectados na internet. Dessa vez, ela estava concentrada na troca de e-mails e não me viu. Tomava um mocca com chantili e doce de leite. Eu pedi um descafeinado. Um babaca como eu toma descafeinado. "Medo de insônia", eu disse para a balconista. Carla não ouviu. Nem me viu. Assoviei, mas ela não me viu. Nem me ouviu. Será que anoto isso?

Peguei o carro para visitar a família na casa de uma das minhas irmãs. Ou melhor: comunicar a nova separação, demissão e o novo endereço. Eu sabia como elas iriam reagir. Diriam, que bom, você terá mais tempo para a família agora. E xingariam Fabi, aquela desalmada, confessariam que nunca gostaram dela, que não era mulher para mim; ignorante, fútil, analfabeta, perdida, manipuladora.

Só meu pai friamente diria algo como "que pena" e daria uma dura nos novos tempos, em que casamentos não resistem, lembraria da mamãe, e todos nos calaríamos com saudades. Ele no seu luto infindável tinha necessidade de falar dela, como um apóstolo. Culpa.

Foi assim que aconteceu anos antes, quando comuniquei que Ariela me deixara. Uma irmã a chamou de manipuladora. A outra perguntou com qual das duas eu iria morar. Me disputaram como se eu fosse um filhote abandonado na rua. Para elas, um homem solitário era incapaz de morar sozinho, administrar um lar, passar camisas, cozinhar suflê, fazer feira, e precisaria do apoio familiar. Ficaram decepcionadíssimas quando anunciei que continuaria no meu apê e que eu já estava morando com outra mulher, Fabi.

"Quem?", meu pai perguntou.

"Uma amiga da Ariela."

"Amiga?"

"Melhor amiga."

Ele pediu um táxi e foi embora. Elas perguntaram se eu o magôo propositalmente, e até quando.

Saí de carro da garagem do flat e quase atropelei Carla andando na calçada. Brequei. Tomou um susto. Deu um chute no farol dianteiro e me olhou furiosa. Então, viu quem era. Abri a janela e pedi desculpas.

"Tá...", ela disse e continuou o seu caminho.

Se matasse aquela menina, voltaria para a imprensa no dia seguinte.

Repórter distraído e em crise mata prostituta nos Jardins

Chegando na Lapa, a reação à minha segunda separação foi absorvida com tanta facilidade, que senti falta de um escândalo. Não xingaram Fabi de burra sem coração, nem confessaram que nunca foram com a cara dela. Meu pai fez o discurso moralista comparando o seu casamento com a união frágil e corrompida dos dias de hoje.

Fabi era mais bem-vinda naquela família que Ariela? Nada disso. Quando comuniquei que a segunda mulher da minha vida pediu as contas, eles presumiram acertadamente que o problema estava comigo e não com a instituição. Reclamaram que não dou a devida atenção às mulheres.

Meu pai estava com a cabeça concentrada na própria velhice. Reclamou da possibilidade decrescente de ganhar um herdeiro, já que minhas irmãs também não se animavam. E me ofereceu um quarto e uma vaga de gerente na sua farmácia. Perguntou se não era hora de eu, enfim, cuidar do patrimônio familiar.

"Nem morto", respondi, sem medir as palavras.

Por que não as controlamos em debates familiares? Ele se levantou e foi embora sem esperar o táxi. Nem deu tempo para contar que eu preferia passar o dia me bronzeando na piscina de um flat suspeito, rodeado por putas, pensando no nada, a passar a vida de jaleco atrás de um balcão de farmácia.

Apesar de ter entrevistado presidentes, cineastas, boleiros, artistas, corruptos, assassinos, inocentes, idealistas, dondocas, eu não era o herói daquela família, nem o bom exemplo que difundia o nome barês em matérias assinadas em revistas, jornais, como meu pai procurava, através de um néon instalado na fachada de uma farmácia de bairro honesta mas decadente.

Eu só os decepcionava.

Não sabiam que o pior estava por vir.

O tempo fechou. A piscina, a sorveteria e o café ficaram deser-
tos. Me tranquei no flat, sem inspiração para escrever, falar ao
telefone, pensar. Encontrei desânimo até em não pensar.
E, lógico, não liguei a tevê.
Minhas malas não foram abertas. Meus livros e pertences continuavam nas caixas trazidas por Luiz e Cardoso. Fabi passou
uma fita prateada nas caixas, fita que gruda e não desgruda.
Ódio por eu não ter ligado de volta, atendido telefonemas,
respondido e-mails, por eu não lutar por ela. Ou foi Ariela
quem as lacrou?

Quando se está triste, os dias demoram pra passar.
Abri justamente a caixa de livros de filosofia, que Ariela me
deixou de herança.
Comecei por Heráclito. Que dor cura a metafísica?
Eu e Fabi nos afastávamos mais e mais. Logo me esquece-
ria dos seus olhares, depois, dos seus lábios, pele, cheiro,
olhar.
Naqueles dias chuvosos, me deu uma saudade dela. Dela
quem? Ora...
Eu ainda amava Ariela, não se tocou?
E eu amava aquela...
Bateram na porta.
Abri.
Carla.
"Preciso de um favor."
"É urgente?"
"Toma conta dele?"
Me mostrou o pequeno cachorro atrás das suas pernas, filhote
preso por uma coleira.
"Morde?"

"É um pitbull. Mas não faz nada. Tem dois meses. É só por um instante."

"Por quanto tempo?"

"No máximo duas horas."

"O que ele come?"

"Pringles", disse e me estendeu uma lata de batatas fritas sabor salsa picante.

"Só isso?"

"É tudo o que consegui."

"OK."

"Valeu", ela disse e empurrou o cachorro para dentro.

Desempacotei os pertences, organizei os livros de filosofia na estante. Separei-os por filosofia antiga, medieval, moderna e contemporânea. Esfomeado, comi a batata sabor salsa picante do animal, que não saiu do lugar durante as quatro horas em que esteve comigo, enquanto eu lia Hegel. Desconfiei que o cão estivesse empalhado. Mas a baba de assassino em potencial escorria do seu focinho e molhava o carpete.

Ela esqueceu de pegar o cachorro, que ficou quieto, mudo e calado, me encarando furiosamente, porque era um pitbull filhote que não metia medo, e estava no seu DNA que meter medo é prazeroso; uma vocação. Ali, uma frustração canina de grandes proporções, inversa ao seu tamanho.

Ele me encarava, e eu sabia que calculava quantos meses faltavam para ele ser grande o suficiente para alcançar a minha jugular, estraçalhar o meu pescoço e sair nas páginas policiais e caninas.

Não escrevi nada naquela tarde chuvosa.

Anoitecia.

Subi à piscina arrastando o facínora.

O mordomo réptil já tinha ido embora.

"Uma garota ruiva, cabelo curto, sempre de bermuda jeans, não mini, mas na altura do joelho, pele caramelo, novinha, bonita, diferente..."

Eu explicava na recepção, com o cachorro sentado em cima do balcão. Por mais que eu descrevesse, ninguém a conhecia, nem sabiam que um morador tinha um pitbull, nem era permitido ter animais naquele recinto.

"Ela falou que ia demorar duas horas, mas já se passaram quatro."

Então, citei que o seu codinome era Carla. Para a minha surpresa, tinha uma Carla, não era apelido ou nome de guerra.

"A ruivinha baixinha?", perguntou o cara da recepção.

Tirou o fone do gancho e ligou para o 102.

"Ninguém atende."

"Ela saiu?"

"Ninguém atende, seu Luiz. Melhor esperar."

Sorriu e apontou para o sofá.

Eu teria que me sentar entre dois garotos de 18 anos, bem vestidos, cada um num canto do sofá, que esperavam a vez de subir e absorver seus anjinhos de R$ 150 a R$ 300. Desviaram os olhares quando os encarei.

Subi arrastando o cachorro até o 102 e toquei a campainha.

Ela gritou lá de dentro:

"Vá embora!"

Toquei de novo.

"Vá embora, eu te odcio!"

"Estou com o cachorro."

Demorou uns segundos e abriu.

Pálpebras inchadas, os globos oculares vermelhos, os cabelos na cara.

"O seu cachorro."

"Pode apostar, cara, eu vou lá na clínica dele, eu sei onde é, vou fazer um puta escândalo, vou falar tudo no meio da recepção, eu sei onde ele mora, vou lá na porta explicar pra esposa e pros filhinhos quem é quem na jogada, vou contar tudo, vou acabar com ele, pode esperar! Só porque é rico, só porque atende a todas as ricas, não pode me desprezar. Vou fazer um escândalo na tevê, nos jornais, na porta da escola dos filhos dele. Tá duvidando?"

"O seu cachorro."

Empurrei o animal com força. Ele não queria entrar.

No quarto, liguei para Ariela, para a nossa casa, apezinho, o nosso ninho, que ela reconstruía galho a galho, lar doce, em que ela deveria se lembrar de mim, pensar em mim, sonhar comigo.

Não atendeu.

Era a minha voz na secretária eletrônica ainda.

Desliguei confuso.

Minha voz pedindo para deixar recado após o sinal? Pra quê?

Era uma mensagem secreta? Códigos?

Respirei fundo, tirei o telefone de novo e disquei novamente. Mas bateram na porta. O telefone chamava, e batiam. Ouvi a voz de Ariela atender:

"Alô?"

Ouvi Carla do outro lado da porta:

"Você está aí?"

Desliguei o telefone, e, enquanto girei a chave, analisei que tipo de alô era aquele, rouco, doído? Por que atendeu só na segunda vez, porque não conhecia o número no detector de chamadas e, com a insistência, atendeu, até pensou que poderia ser eu? Torceu?

Eu abria a porta e me perguntava se ela, Ariela, diante do número piscando, telefonaria de volta.

"Oi", Carla disse. "Posso entrar?"

Entrou.

O alô de Ariela era quase desesperado, pedindo ajuda. Corroído, grave. "Alô". Poderia também ser um alô de quem acabou de gozar, depois de trepar pela casa toda com um vaqueiro, um lenhador, ou um toureiro equatoriano!

"Olha, Lu, brigadão mesmo. Primeiro, prazer, Carla."

"Prazer.

"Você quebrou o maior galhão. Posso fumar?"

"Claro."

"Quer?"

"Não. Parei."

"Como conseguiu?!"

"Tive um problema, colesterol alto, de família, sabe? Hereditário."

"Ah, é?"

"Quer beber alguma coisa?"

"O que você tem?"

"Água."

"Não tem Coca? O que você faz?"

"Sou jornalista."

"Trabalha na tevê?"

"Não, trabalho numa revista. Trabalhava."

"Tipo assim, você escreve?"

"É."

"Você deve conhecer milhões de palavras."

"Nem tanto. Mas pesquiso, procuro palavras que poucos usam. Para me diferenciar, dar um charme. E quando um bom jornalista passa a usar uma palavra diferente, ele é logo imitado, sabia?"

"É?"

"Se bem que uma vez usei 'aliteração' numa matéria gastronômica. A aliteração dos temperos. Esperei ser imitado. Não fui. Ninguém entendeu. Ou ninguém me leu. O que me deixou confuso. Pior, aflito. Ninguém me lia mais? Jornalistas lêem outros jornalistas. Lêem todos os jornais e revistas."

"Eu leio revistas."

"A gente sabe, quando escreve, que nossos colegas estão lendo. Colegas, chefes, chefes possíveis, editores, donos, assessores de imprensa, RPs, fontes. Na verdade escrevemos para estes caras. Escrevemos também para ser lido pela concorrência. E por colegas de jornais, tevês, rádios e revistas cariocas, brasilienses, mineiras, correspondentes estrangeiros. Nossas questões fundamentais não são apenas como salvar o planeta. São quem deu o furo primeiro, quem meteu o pau em quem, quem detesta quem, quem vota em quem, quem tem o rabo preso."

"Lu, você cheira?"

"Não. Parei também."

Dei o copo de água de torneira.

Ela sentou no sofá, cheirou uma carreira e começou a chorar sem parar.

Me sentei ao seu lado, fiz carinhos nela e comecei a chorar também.

Choramos abraçados.

Peguei o cigarro da mão dela e dei um trago. Como é bom. Há dez anos não fumava. Continuei tragando, fumando como se nunca tivesse parado, como se bebesse uma soda gelada depois de dias cruzando um deserto.

"Eu comprei aquele dog e queria fazer uma surpresa. Quando ele veio, deixei aqui, para anunciar aos poucos que eu tinha um dog agora, nosso filhão."

Traguei mais e passei para a frente.

"Ele vinha três vezes por semana. Depois, passou pra duas. Agora, uma. Fico muito sozinha. Preciso de companhia. Preciso de um dog. Você viu como ele é fofo?"

"Vi."

"Tem aquela cara de bravinho, porque é inseguro. Quando eu disse que tinha agora uma terceira pessoa, ele me deu um soco aqui..." E mostrou a barriga. "Nem esperou eu dizer que era um dog. Que cara louco! Aí, eu xinguei o filho-da-puta, e gritei assim, porra, é um cachorro! Ao invés de ele pedir desculpas, ele gritou que não queria nenhum cachorro morando no flat que ele paga, que odeia cachorros, para eu matar o cachorro! Como um médico, cirurgião plástico, com clínica aqui nos Jardins, famosão, pode ser tão ignorante, cruel com os animais?! Você é casado?"

"Não."

"Gosta de dogs?"

"Só com pão e mostarda."

Ela não riu da piada.

Fabi ria das minhas piadas.

Quando entendia.

Ariela entendia todas.

Nem sempre ria.

Só a filosofia emocionava Ariela.

Me levantei e escrevi no meu caderno: *É e Não É*. Peguei um cigarro do maço de Carla e acendi. Um só para mim.

"O cara é seu namorado?", perguntei.

Ela me olhou surpresa. Para todos estava claro quem era o cara. Eu precisava de detalhes, se ela quisesse conselhos.

"É", ela disse. "Mais do que isso", corrigiu. "Ele é casado, mas me paga, para ficar aqui."

"Vem uma vez por semana?"

"Eram três."

"E o que vocês fazem?"

"Ele toma um remedinho, ficamos, e ele vai embora."

"Você está apaixonada?"

"Estou."

"Não, não está."

"Estou, sim."

"Claro que não."

"Claro que estou! Como você pode afirmar que não estou? Nem me conhece. Que absurdo. Estou apaixonada, sou louca pelo cara, o cara é tudo pra mim, tá?"

"Não, não é."

"É! Cara, é sim!"

"Você não se apaixonaria por um médico casado que te tira do puteiro, te coloca num flat, te come uma ou duas vezes por semana, durante o tempo em que um Viagra faz efeito. Você está agradecida, não apaixonada."

"Vai tomar no...!"

Dito isso, ela se levantou, colocou o copo na pia e se foi, batendo a porta.

Ainda bem que deixou o maço.

E se eu me tornasse um guru?

Longe do noticiário, meu cérebro fervilha. Antes, ele costumava ser ocupado por notícias e informações. Agora, análises, teorias, inspiração e ética. E alteridade. Eu via e sentia o outro, em sinergia com a metafísica.

Quero entender o mundo, as pessoas. Renascer. Estou amando a sabedoria, Ariela! Eureca! Entenderei a natureza, a sociedade. Buscarei nos mitos antigos, referências. Entenderei o ser. Então, entenderei o amor, o casamento e a sua dissolução. Peguei o caderno. Acendi um cigarro. Pensar e fumar são dependentes, como a Terra e a Lua. Escrevi:

"Os gregos queriam saber da origem do mundo e a ordem que rege todas as coisas. Excluíram as premissas do pensamento religioso. Partiram do princípio de que algo é e não é. Descobriram que a totalidade das coisas vive dentro de um equilíbrio. O ser depende do não-ser para ser. E o não-ser só é o não-ser porque existe o ser. Logo, o não-ser também é. É o quê? O não-ser."

O telefone começou a tocar. Continuei escrevendo, mas o barulho estridente... Passei a escrever compulsivamente, como que para lembrar da linha que tomava o meu teorema:

"Heráclito negou a existência do ser imóvel. Defendeu que nada é permanente, e tudo flui como num rio. A natureza é um fluxo perpétuo, pensou, que pode transformar algo em seu contrário: claro em escuro, novo em velho, frio em quente."

"Alô?"
"Quem fala?"
Era a voz de Fabi. Mas se é verdade que a existência precede a essência, somos responsáveis pelo que somos. Estou confuso. O é pode se transformar em não-é. Como o não-é pode ser preenchido de ser e vir a ser. O é pode ser e não ser ao mesmo tempo!
"Tem alguém aí? Alô? É você? Não vai falar nada? Fala comigo... Oi, querido, sou eu. Fala... Só me diz se você está aí. Está aí? Vai, por favor, môr..."
Môr. Usou o código com que nos chamávamos carinhosamente, ou aos gritos, pedindo água, comida, luz, môorrr!, código que une e destaca um casal, que é, próprio de cada

relação, apelido coincidente em outras relações, mas só útil quando existe paixão.

Não tem jeito, um filósofo trabalha, não quero falar.

Por quê?

Não sou mais o mesmo.

Pois é, em tão pouco tempo, nasceu outro. Que se inspira observando ipês, acácias, jatobás, mognos... Madeiras nobres, como a cor da sua pele.

Por favor, me esqueça, antes que eu me desespere!

Me entristeço rapidamente.

"Fala comigo. Please... Eu sei que é você. Olha, a gente ainda tem muito que conversar, você sumiu, não faça isso. Sei que está com raiva, tente me entender, tem uma série de pendências que precisam ser..."

E parou de falar, porque tocou o interfone do seu apartamento.

"Depois te ligo."

Desligou o telefone, lógico, piranha, para atender o interfone que anuncia a chegada na portaria de mais um universitário que está te comendo, além de todos os professores da "facu", mendigos do beco de trás, manipuladora!

Tirei o fone do gancho e disquei de volta.

Mas desliguei, já que eu ligara para o meu número. E era Ariela quem estava no meu antigo apê.

Deus. Não vou chorar agora!

Sofro, sofro, sofro...

Podia ser o cara da pizza, coitada, morando sozinha, não tinha mais o papaizão aqui fazendo feira, supermercado, ensinando a diarista que mistura é tudo, não apenas carne.

Não, Fabi odeia pizza. Aquele corpão é mantido às custas de cereais, frutas, ferros, proteína e vegetais. Bem, podia ser o chinês. Um japonês. Um árabe. Ela está dando para as Nações Unidas!

Peguei a caneta.

Me deu fome.

Escrevi:

"Uma partícula de luz pode ser e pode não ser, pode ser refletida num espelho, como pode não ser, e se não é, o atravessa."

Bateram na porta. Escrevi para não perder a linha do raciocínio:

"O é e o não-é podem ser uma coisa só. Terrível: o é e o não-é são!"

Insistiram na porta, interrompendo a minha brilhante descoberta.

Carla. A que é puta, mas pode não ser.

"Você pode quebrar outro galho?"

Posso quebrar. Posso não quebrar.

"Preciso de uma carona. Urgente."

Precisa. Pode não precisar.

"Por que não pega um táxi?"

"Porque tem que ser um segredinho só nosso."

"Nosso?"

Nosso de nós, como nosso de nenhum de nós.

"Todos os táxis da rua me conhecem."

"Estou trabalhando."

"Está só escrevendo."

"Você vai trabalhar? Não pode, tem dono. Ele paga para você ficar quietinha aqui no flat, à disposição. Até a pílula fazer efeito."

"Leva o caderninho. Enquanto eu estiver no compromisso, você continua. Eu pago."

"Quanto?"

"Vinte por cento."

"Vinte por cento de quanto?"

"De 250. Se pintar gorjeta, 300."

"Você vai fazer um programa?"

"É pegar ou largar."

"Quero 40%."

"Isso é um roubo, normalmente é..."

"Então pega um táxi, só na esquina ficam uns quatro parados."

Ela bufou, pensou.

"Vinte e cinco."

"Trinta."

"Fechado. Tá pronto?"

"Tô."

O telefone voltou a tocar. A manipuladora da Fabi comeu a pizza, digo, o chinês, aproveitou e se entregou para o entregador, lambuzada em frango xadrez, e resolveu me ligar por vingança, *"mim" comeu um homem supergostoso, que não liga para os meus defeitos, eu quero namorar "com" ele.*

Ou será Ariela? Perdi a fome!

"Não vai atender?"

Peguei o caderno e a caneta, e fomos para o elevador.

Perguntei se era seguro.

"Não sei. Acho que é."

"É ou não é?"

"Pode ser, pode não ser. Por isso, estou te levando junto."

"Não fode..."

Carla sentou no banco de trás.

"Vamos?"

"Pra onde?"

"Para onde está o dinheiro."

Me deu o endereço.

Encontrei ao menos uma virtude nos jornalistas. Conhecemos praticamente todas as ruas da cidade, seus nomes, os melhores caminhos e atalhos.

Carla pediu rua Homem de Mello. Simples. Perdizes. Vou até a Rebouças, pego a Doutor Arnaldo e entro à direita na Cardoso de Almeida. Melhor. Vou pelo Pacaembu.

"Estou bem?", perguntou.

"Está o quê?"

"A roupa. Tá legal?"

"Tem que estar?"

"Lógico!"

Olhei pelo espelho. Vestido de alça e bolsa caros, sapatos falsificados.

"Normal."

"Sabe quanto paguei por este vestido?"

O cliente quer desembrulhar a encomenda e consumir a essência, além da existência. Não vai reparar na marca.

"Fica de camiseta e bermudinha jeans, como você é."

Eu debatendo sobre o figurino de uma profissional do sexo. Quem sou eu?

Estacionei em frente ao endereço indicado, um edifício de classe média insuspeito.

"Se eu não aparecer em uma hora, toca o interfone, se não atender, faz um escândalo, sobe com o porteiro, sei lá."

"Isso já aconteceu?"

"Sempre tem uma primeira vez."

"Você também gosta de frases feitas?"

"O quê?"

"Nada."

E saiu para ganhar o seu cachê; o nosso cachê.

Rua pacata: um ponto de táxi, uma farmácia, uma padoca, pedestres. Repararam na ruiva destoante que saiu do carro, com um vestido curto vermelho e sapatos falsificados; ou, como dizem por aí, "genéricos". Não acenou e entrou no prédio. Encostado no capô, fumei um cigarro, pensei em mudar o meu figurino. Uma jaqueta de couro preta, lógico.

Vou à padoca, peço uma média com pão na chapa. Tiro o caderno e penso. Sento no balcão. Releio o que escrevi.

Não deu tempo para aprimorar.

Meu ganha-pão bateu no meu ombro.

Sorriu e entrou no carro, sentando no banco de trás. Queimei a língua e fui, com meio pão francês na boca.

"Entra logo!", ordenou.

Obedeci.

"Dá a partida, vamos."

Obedeci.

"Pro flat, vai!"

"O que aconteceu?"

"Nada."

"Dez minutos?! Os caras pagam 250 paus para ficar dez minutos com você?"

"Cobrei 250 mais o táxi", ela disse e mostrou seis notas de 50.

"E ainda falam que a vida de vocês é dureza. Dez minutos!"

"A não ser que tome Viagra. A droga desse Viagra acabou com a moleza."

E riu. Até eu ri. Foi bom o trocadilho, vai?

Carla se inscreveu num jogo perigoso. Voltava a trabalhar, apesar de ter um contrato informal de exclusividade com o seu coronel, que a tirou da boate. Boate, não, puteiro mesmo, já que tinha quartos. Você sabe a diferença?

Existem cinco tipos que distinguem a atividade da ocupação número 5.198:

1. As profissionais de rua que você conhece bem: garotas que ficam em esquinas movimentadas e estratégicas convencionalmente estabelecidas, os chamados "pontos", com relativa tolerância da lei. Vestem minissaias ou calças brancas. Não sei por que calças brancas.

2. As de boates que se expõem em clubes fechados com roupas leves, fazem strips, dançam e saem com os clientes. Vão geralmente a hotéis da área, que são sócios da boate. Em algumas boates, elas estão autorizadas a dar em cima da clientela. Circulam em torno dos que chegam. Em outras, devem ficar discretas, à espera da aproximação dos interessados.

3. Os puteiros é onde se faz programa com a garota lá mesmo. Puteiro tem quartos. É o que o diferencia dos demais e o classifica como tal. Pode ser também uma boate. Com dança e strip.

4. E, hoje, o gênero que mais cresce é... adivinha? As profissionais on-line. Meninas com fotos espalhadas em sites especializados, que exibem os seus dotes, codinome e número dos seus celulares. Esperam o telefone tocar nos seus flats.

5. Existe uma classe paralela, as de book, em mãos de profissionais discretos que oferecem putas eventuais, capas de revista, modelos e atrizes, que não podem se expor, nem estar à disposição todo o tempo. A clientela é seleta e paga de 2 mil a 30 mil por um programa, dependendo da fama da garota.

Geralmente, mudam de codinome, trocam de casas ou boates, não por capricho, mas sempre em busca de mais grana.

Deprime vê-las assediar um cliente, pedir bebida, puxar papo, mostrar as virtudes. Porque há pouca honestidade naqueles gestos e palavras. Misturam-se afeto e interesses, química e grana, tesão e faturamento. Ganha mais quem tem talento para distinguir quem realmente vai pagar e quem vai enrolar.

Numa boate, um cara pode passar a noite conversando com uma menina, e não rolar o programa. São conhecidos como "chincheiros". É preciso ter pressa para reconhecer um desses — dar trela, mas sair fora, em busca do cliente realmente interessado em negociar. Já o cara tem consciência de que todas elas falam um texto decorado, que fazem poucos programas, que nem sabem direito o que estão fazendo com suas vidas.

Uma profissional de rua pode ganhar tanto ou mais que uma de site. Dividem áreas com os travestis, que cobram a metade do preço e têm um nicho de mercado mais restrito.

Não é depreciação estar na rua, é livre escolha: os clientes são mais rápidos, objetivos, há mais rotatividade. E ela se diverte. Sim, diversão. Garotas de programa também se divertem, muitas vezes, dependendo do cliente, chegam a gozar, quando não estão cheiradas ou trêbadas.

Nas ruas, correm mais riscos, por isso, muitas se benzem antes da jornada. Costumam fazer ponto perto de hotéis de alta rotatividade, em esquinas com faróis, em ruas com boates de strip. Mas também há aquelas que fazem ponto perto de universidades, postos de gasolina ou beira de estrada. Cada cidade tem a sua exposição, tolerada e popular.

Já viu um cliente escolher uma profissional? Ele aprova, paga, e se encontra permanentemente frustrado, pois está com alguém, mas no fundo está só, está cercado, todas o querem, mas ele sabe que está só. Querem é dinheiro vivo, ele sabe. Poucas aceitam cheque. Algumas aceitam moeda estrangeira. Quase nenhuma aceita desabafos. Nem compaixão.

A boate costuma ser o espaço favorito da clientela, pois se negocia com mais confiança, já que se vê a mercadoria ao vivo, sente-se cheiro e bafo do que ela comeu, bebeu, percebe-se no andar e rebolar as possibilidades na cama.

Nos sites, há muita enganação, como fotos que não são das meninas, ou são, mas se ela estiver agendada, manda uma amiga, com a desculpa de que estava doente. Chegando na casa do cliente, ou no motel, quando o mesmo percebe que enviaram a errada, na maioria dos casos acaba aceitando e comendo gato por lebre, morena por loira, gostosa por magricela, já que o tempo é curto, e a vida, um casuísmo.

Eu já soube do caso de um sujeito que pediu uma menina por quem gamou pelas fotos, e chegou outra com a perna engessada.

Às vezes, as garotas são honestas, falam a verdade quando atendem o telefone e anunciam que a fulana em questão está fora, mas que ela, irmã, é idêntica. Ou ela, prima mais nova, é até mais bonita. Ou ela, colega da mesma cidade, acabou de chegar do interior e é quase virgem.

Os sites mais caros procuram dar confiabilidade, treinam as meninas, para não enganarem a clientela, pois todo o mercado fica afetado. Mas são os mesmos que abusam do Photoshop e transformam peles marcadas em milagres da natureza, rostos desalinhados, com nariz desproporcional, em um harmonioso equilíbrio juvenil.

Na sorveteria, Carla contou em detalhes a sua técnica, com o vigor de alguém que estava na geladeira e voltava à ativa: "Eu entro e vou logo elogiando o cara, 'nossa, como você é gostoso', ele fica alegre e quer oferecer algo, mas eu já pego nele, abro o zíper e falo que estou louca de tesão e quero chupar, aí elogio, 'nossa, como é lindo o seu pau', e grudo a mão e a boca, muito rápido. Se o cara pede pra parar e diz que quer conversar, é, porque, acredita?, tem cara que quer bater papo antes, precisa de estímulo, então eu falo que tá calor e tiro a roupa ali mesmo na porta, na sala, na cozinha, tiro tudo, o cara fica com tesão na hora, e pulo em cima, beijo o pescoço, a orelha, ah, quando ele se dá conta, gozou, ganho o meu cachê, contando o dinheiro discretamente, como se tivesse sido secundário o pagamento."

"Dinheiro fácil."

"Também não é assim, tem o cliente profissional, que quer experimentar tudo, todas as posições, e você tem que fingir que gozou várias, desmaiar de cansada, sorrir feliz com a vida, para ele te dar um sossego e uma gorjeta."

"E quando acaba?"

"Peço um copo d'água. Ele se levanta pra pegar. Quando volta, já estou arrumada falando no celular, tipo 'já tô indo, amor, desculpe, demorou, estou no trabalho'."

Então, ela me olhou séria.

"Olha, ninguém pode saber, hein? Amanhã você me dá outra carona se rolar?"

"É 40%."

"É 30% mais um sorvete."

"Você é uma puta negociante."

Há dias eu não acordava motivado.

Cumprimentei a todos no salão em que era servido o café.

Às 10h em ponto, eu estava na piscina, para mais um dia ensolarado.

Até Jacaré notou a mudança e me cumprimentou batendo no meu ombro. Pedi água de coco, um maço de cigarro light e uma caixa de fósforo. Abri o caderno e escrevi:

"Diz Espinosa que o verdadeiro conhecimento é aquele que foi produzido por uma realidade, o que distancia o pensamento do infinito e do caos."

E daí?

Acendi um cigarro, traguei com gosto.

Carla apareceu na piscina.

Foi direto para a minha mesa. O que causou estranheza entre as garotas, já que ninguém, além de Já-ca-ré!, falara comigo em dias.

Ela não disse bom-dia, nem nada. Pediu:

"Tem fogo?"

Acendi seu cigarro.

"Você já amou?", perguntei.

Ela não respondeu. Falando baixo, confirmou dois programas, um para às 16h num motel da Barra Funda, e outro para às 18h no Brooklin. Eu disse que não dava. Trânsito. Teríamos que cruzar a cidade. Ela me tranqüilizou. Disse que às 17h saía do motel pronta. Pediu para eu levar o celular.

E foi fumar na sua mesa.

Comprei uma camisa com um soco inglês desenhado numa galeria de roupas alternativas na rua Augusta. E calcei um coturno. Velhos tempos em que dançava Clash dando botinadas ao redor.

Me olhei no espelho.

Eu era o babaca mais estilizado da cidade. O ser humano é um babaca! O ser humano ama. Logo, amor é babaquice.

"Crédito ou débito?", perguntou a balconista, segurando o cartão, interrompendo o devaneio de um filósofo amador.

Tanto faz.

"Crédito, por favor", respondi.

Saí na rua Augusta, o cadarço enrolou no pé do vendedor de amendoim, tropecei no meio-fio, quase caí no asfalto, segundos antes de passar o Praça das Bandeiras-Jockey, ônibus articulado que trucidaria um punk que fazia compras, desencadeando um levante anarquista por todo o planeta, que depredaria McDonald's e agências do Citibank.

Mas o ambulante me segurou, e o planeta foi salvo, enquanto amendoins doces rolaram pelo asfalto.

15h25. Carla na recepção me olhou rapidamente. Notou o figurino. Falando no celular, não o elogiou.

Sentou no banco de trás.

Passou a viagem no celular. Bem puta.

O motorista profissional desenhou na cabeça o percurso: avenidas Rebouças, Pacaembu e Marquês de São Vicente. Opções: avenidas Brasil, Henrique Schaumann e Sumaré.

"Quem terá sido Henrique Schaumann?", perguntei.

Nenhuma resposta.

Carla programou o seu número no meu celular e apontou para um motel numa rotatória.

"Entra pela guarita, fala que é para o Afonso."

Entrei, abaixei o vidro. Do outro lado, atrás de uma janela blindada, uma mulher sorriu. No seu crachá, Judite. Engraçado como sempre são mulheres que atendem em motéis, para não constranger as tímidas.

"Estou aqui com a acompanhante de Afonso."

"Oi, sumida. É o 402. Suíte! Você vai almoçar, amiga?", perguntou, do outro lado da cabine.

"Não, Judite. Mas traz um uísque para o rapaz aqui", pediu Carla.

"Uma Coca light, com gelo e limão", corrigi.

"Só temos zero."

"Manda."

Garagens fechadas e algumas abertas. A do 402, fechada. Embiquei o carro.

"Ele já deve estar aí. Desce, abre a garagem e estacione ao lado do carro dele."

"E se estiver trancada?"

"Não vai estar."

"E se estiver?"

Não respondeu.

Desci do carro, olhando para os lados, como se um espião russo cruzasse instalações da Nasa. Não estava trancada. Voltei. Estacionei. Desliguei o motor. Aquele silêncio, que pareceu durar a guerra fria. Ela se olhou no espelho, ajeitou a alça do vestidinho.

"Já volto", e desceu.

"Boa sorte", eu disse.

O que queria que eu dissesse, "capricha"?

Depois de minutos naquele carro, o ócio cumprimentou o tédio — o que me ensinou que não basta tempo livre para filosofar. Em torno, um silêncio que não combinava com aquele lugar.

Apareceu um garçom mequetrefe com uma Pepsi normal, sem gelo, muito menos limão. Desci do carro e o segui para fora, respirando o ar que faltava na garagem claustrofóbica.

"Você não pode ficar aqui", disse, com uma vozinha autoritária desnecessária.

"Vai tomar no meio do seu cuvículo!", eu disse, com a autoridade de um cafetão intolerante, sem paciência e, fundamental, mais forte.

"Adoraria. Se você quiser, tem um quartinho."

"Sai fora, bicha sem-vergonha!"

Utilizei o meu mais nefasto politiquês-incorreto, uma expressão que, como jornalista, poeta e filósofo, eu jamais diria, mas que naquele momento escapuliu e soou harmonicamente perfeita; coube na boca.

"Enrustida!", ele concluiu e saiu fora.

Desconsiderei a observação.

Acendi um cigarro.

Vi a porta da garagem em frente se abrir.

Uma mulher, dentro do carro, no lugar do passageiro, ajustava os óculos escuros grandes. O motorista era familiar. Jovem. Boa pinta. Marcos Resende! Cargo: meu algoz. Que me viu, mas fez que não, encolhendo o rosto entre os ombros. A mulher também era familiar. Os óculos não impediram a identificação precisa. Estava na cara, no jeito: Denise F., minha inimiga! A editora do encarte feminino, namorada do herdeiro da editora, chefe dos chefes! Saindo do motel com o secretário de redação, num dos carros que prestavam serviço à empresa, com o adesivo REPORTAGEM impresso no vidro traseiro.

Este presente caiu do céu!

Ela me viu. Virou o rosto, falou algo para Marcos.

Deve ter dito "é ele!", "voa!", "disfarça!"

Peguei o celular e tirei uma foto.

Até um segurança do tamanho de um cofre de banco se colocar entre mim e a viatura em questão, arrancar o meu aparelho, me olhar com cara de violento e informar:

"Você não pode ficar aqui!"

"Quem disse?"

"Vai dificultar, é?"

Colocou a mão no meu ombro delicadamente. Até o polegar pressionar a minha clavícula. Nunca senti uma dor parecida.

Dor que me obrigou a ajoelhar, engolir três urros, derrubar uma lágrima e obedecer, sem dar mais nenhum pio.

Ele ainda pisou no meu celular.

Falei que ia processá-lo e recolhi os pedaços, procurando o chip.

Voltei para a garagem duvidando se seria capaz de, um dia, elevar o cotovelo acima do ombro ferido. Escutei: "Sempre aparece um palhaço..."

Me perguntei se não seria a minha vocação. Nada de filósofo, poeta, jornalista, mas um palhaço. Respeitável. Me perguntei se não estava na hora de comprar uma arma. Sim, votei a favor delas no último plebiscito. Acredito que todos têm o direito a uma. Para equalizar as diferenças entre babacas como eu e segurancas do tamanho de um cofre. Para isso elas servem, para democratizar a autodefesa, nivelar a agressividade.

Preciso me ater melhor sobre este paradoxo. Vê como um dedo metafísico de um segurança comum, numa atividade rotineira, desprende as amarras do pensamento e me obriga a filosofar e tramar?

E que benefício poderia me trazer a informação de que dois importantes funcionários da empresa de tradição e prestígio no ramo das comunicações traem descaradamente o seu herdeiro e diretor executivo, mais conhecido como patrão?

Me perguntei se Denise F. tinha um caso com Marcos ou foi uma tara momentânea e irresistível? E, o mais fundamental, será que eles viram que fotografei?

17h11. Temi pelo atraso.

Apareceu o cliente, Afonso. Surpreendentemente um sujeito simpático, que me cumprimentou, sorriu, entrou no carro, plugou um IPod, aumentou o volume de um rap e se foi, sujeito jovem, elegante, com um cabelo bem cortado, a pele lisa, que você jamais imaginaria que precisava pagar para comer uma mulher; ainda mais uma ruiva profissional bem comum. Por que não estava agora na cama com uma civil, como chamamos as não putas? Porque quer facilitar, ir direto ao assunto e pagar.

Você precisa saber que a regra número 1 desse mercado é nunca, mas nunca julgar um cliente. Aparece de tudo. Não se traça perfil, nem se realizam estatísticas.

Carla demorava para descer, e me preocupavam os negócios. Não podíamos nos dar ao luxo de desprezar clientela já arregimentada num mercado extremamente competitivo.

Subi a escada lateral, bati na porta com cuidado, entrei na suíte; de bom gosto, até. O quarto estava de ponta-cabeça, lençol revirado, travesseiros pelo chão.

Carla não estava à vista. A tevê exibia um leilão de cavalos. A porta do banheiro, encostada. Ela tomava banho.

Observei o meu ganha-pão nu: um corpo manteiga, bicos e lábios rosa escuro, completamente depilada, inclusive na virilha, um corpo que eu conhecia da piscina, mas que só agora preenchia o quebra-cabeça.

"Corre, temos pressa", eu disse.

"Estou fora de forma. Me passa um cigarro", pediu, fechou o chuveiro e se enrolou numa toalha. "Esse cara me deu uma canseira."

"Mas foi bom?"

Pergunta insólita. O que e a quem interessa se foi bom? O cara pagou, e ponto. Não pergunte a uma puta se foi bom. Muito menos se ela gozou. Menos ainda se ela faz aquilo por prazer. Elas não sabem apontar os porquês. Nem interessa apontar. Sabemos que o objetivo único é o que move qualquer mercado: faturar. Faturar e sobreviver. É droga! Como não se pergunta a um investidor se ele tem prazer em manter algumas ações, comprar outras, vender, ou se ele goza quando o índice da bolsa sobe.

De uma vez por todas, que fique bem claro: putas são putas pela grana.

Saindo do motel. A Marquês de São Vicente congestionada. Empacamos.

Me desesperei.

Carla tirou o celular da bolsa e começou a rotina de ouvir mensagens, mandar torpedos e retornar ligações. Com a outra mão, pinçava pêlos intrusos recém-nascidos da coxa.

Desenhei na cabeça as possibilidades: subir a avenida Pacaembu ou cruzar o centro. Me concentrei em desviar de um carro-forte, fechar uma velha numa Topic e ir pelo corredor de ônibus livre, tentando adivinhar se a multa iria para Fabi ou Ariela. A Topic teve de frear bruscamente, a velha buzinou, abriu a janela e: "Vai tomar no cu, barbeiro cego nojento!"

"Você faz anal?", perguntei, assim que ela desligou o celular, como se perguntasse seu signo.

Sei que um motorista não sai perguntando para suas passageiras se fazem anal. Mas era uma informação que um sócio precisava obter, já que existem categorias de prostitutas, as que fazem anal, e, matou a charada, as que não fazem, as que chupam com camisinha e sem, as que fazem casais ou não, as que beijam na boca ou não. Eu queria saber em qual categoria a minha commodity se encaixava.

"Depende", respondeu.

Pronto, existe uma nova perspectiva, a do depende. Então, voltou a falar no celular, e fiquei terrivelmente frustrado por não poder saber depende do quê.

"Entra aqui na 9 de Julho", pediu.

"Mas pela Rebouças..."

"Vai! Pega a 9 de Julho!"

"OK, sem grosseria, estou dando o máximo."

Ela continuou no celular.

Estou aqui me sacrificando. Só podia ser puta mesmo.

"Desculpa", ela disse, colocou uma grana no meu colo, a mão no meu ombro e começou a fazer massagem no meu pescoço.

"Nossa, está duro."

"Estou tenso."

"Tadinho."

"Este trânsito."

"Está doendo aqui?"

"Como adivinhou?"

"Fiz curso de massagem. Relaxa. Ah, ó, desculpa. É que... Pára ali! Encosta naquela banca."

Obedeci.

Saiu de dentro da banca uma morena alta, de minissaia, que com três passos percorreu o caminho da calçada até o meu carro, abriu a porta, jogou uma pilha de revistas, apagou o cigarro e se sentou com Carla no banco traseiro.

"Estão atrasados!"

"Um baita trânsito. Que linda a sua perna, está pegando quanto?"

"Dois quilos, numa seqüência de 40."

"Tudo isso? Que preguiça..."

"Amiga, é o meu instrumento de trabalho."

"Eu não faço nada."

"Você é ruiva. Ruivas não envelhecem."

"Neide, este é Lu."

"Luciano?"

"Luiz Mário", corrigi.

"Oi, prazer."

Neide, classificação "prima": acompanha outra num ménage eventual.

Voltou a falar da seqüência de pesos que praticava, enquanto Carla voltou a massagear o meu pescoço, e eu me sentia bem.

Como? Útil, protegido, querido, muito bem, bom demais.

O trânsito passou a fluir, a 9 de Julho estava linda, com os seus ipês-roxos. Há muito eu não me sentia daquele jeito, íntegro, difícil explicar, como se eu voltasse a fazer parte de uma rotina indispensável, que ajudava o desenvolvimento da cidade, diminuísse o estresse coletivo e os conflitos. Não sei se retirava carbono da atmosfera, colaborava com a diminuição do aquecimento global. Só sei que estávamos atrás do grande regente ser superior de todas as coisas: o veneno do dinheiro!

Encostei o carro num hotel novo em folha.

"Não vão matar o cliente, hein? Cliente morto não paga."

Riram.

Se sentiam seguras comigo?

Protetor.

Desceram, se ajeitaram através da imagem refletida pela porta giratória e foram trabalhar, enquanto estacionei numa vaga bem em frente, perfeita como tudo naquela tarde, como se esperasse por mim.

Acender um cigarro.

Deitei o banco do carro e meditei, com o rádio ligado.

Até ser interrompido pelo segurança do hotel, raquítico e sem pescoço, quase um anão, que não transmitia segurança alguma.

"Não pode parar aí."

"Qual é, cara, sem discriminação, só porque são duas primas? Votam, têm cidadania e documentos em dia, você deveria tratá-las com dignidade e respeito."

"Não pode ficar aí."

"Cara, estou farto de gente me dizendo onde posso ficar ou não."

"Mas aí não pode."

"E se eu fosse o motorista de um deputado, empresário, artista de televisão? Você viria me trazer cafezinho ou mandar eu tirar meu carro?"

"Olha o símbolo: é vaga de deficiente."

Duas horas mais tarde, depois de eu fumar quatro cigarros, estacionado num ponto de ônibus, torcendo para o carro ser multado, e descobrir que meu celular fora danificado, elas saíram como entraram, apesar de estarem centenas de euros mais ricas.

Estarmos.

Bem-humoradas.

Acredito que uma puta sai de um programa com o mesmo alívio que um piloto taxia um avião, depois de pousar: o perigo é raro, mas ronda.

Jantamos numa cantina tradicional do centro: massa consistente, molho pesado, da antiga culinária italiana. Decente. Rimos de Neide, gaúcha inteligente, com sotaque carregado, imitando um homem gozar, comparando a um urro animal, como se levasse um soco.

Carla me passou por debaixo da mesa um bolo de notas de 10 euros. Nem contei. Sei o que muitos diriam. Nunca confie numa prostituta. Mas Carla era, como eu poderia dizer, tutora.

Senti algo me cutucar por debaixo da mesa. Era a mão morena de Neide me passando outro bolo de notas de 10 euros. Eu começava a frilar também para ela.

Fomos dançar numa boate do centro. Só fregueses orientais. Três meninas no palco. Seguravam barras de acrílico no teto. Dançavam de biquíni. Duas entediadas, e uma concentrada. Ao redor, outras meninas passeavam, cantavam os clientes, dançavam no canto, diante de espelhos.

Pegamos uma mesa, e fiquei entre Carla e Neide.

Bebemos a melhor safra de uísque paraguaio — desses que já vêm com analgésico, para amainar a ressaca.

A cada meia-hora, um showzinho de strip animava a platéia. Decididas, sérias, bravas! A atividade trocou a fingida timidez da stripper do passado pela mulher aeróbica e profissional; com atitude. Na primeira música simulavam, e na segunda tiravam tudo, como em todos os strips.

Curiosamente, quem mais se empolgava com o show eram as colegas, que sentadas urravam, torciam, não perdiam deta- lhes, aplaudiam, enquanto a clientela dividia a atenção entre uma acompanhante, as iminentes, o strip e os monitores de LCD, que exibiam uma curra — uma loira possuída por cinco negros bem-dotados, gênero pornô tecnicamente conhecido como "gang bang".

Neide e Carla se revezavam no banheiro.

Voltavam dançando.

Senti no hálito das duas o cheiro familiar. Especialmente para quem atravessou as décadas de 80 e 90 em redações. Pó. E do bom. Passaram para mim uma carinha por debaixo da mesa. Pude conferir a qualidade. Há tempos eu não cheirava.

Voltando do banheiro, cruzei com uma garota loira de cabelos lisos. Devia ter uns 20 anos. Sorriu. A esta altura, Neide dan- çava colada a um jovem executivo não oriental. Carla bebia. E a minha loirinha foi dançar no cano.

Não parava de me olhar. Um nisei se aproximou dela. Ela o afastou e me olhou, como se já fosse minha, emitindo sinais de que seria fiel a mim. Toda a boate me olhou. Olhou para quem a loirinha olhava.

"O que está acontecendo aqui?", Carla perguntou e foi ao banheiro. Não era uma pergunta, mas uma queixa.

Minha gatinha desceu do palco e cruzou comigo. Segurei o seu braço. Perguntei o nome, de onde era, onde morava, o que fazia de dia. Era Gabriela, baiana, morava em Interlagos e não fazia nada de dia. Só falei que ela era linda, tinha uma voz linda, olhos lindos e um corpo incrível. Ela falou que ali só iam orientais, que ela sabia distinguir um japonês de um chinês de um coreano, porque japonês fala "né?" no final de todas as frases, chinês fala "uuu", e coreano fala "noooo". Era a coisa mais linda, ela imitando um coreano: "Nooooo..." Perguntei se ela me diria o nome verdadeiro. Riu. Pensou. Ia dizer. Mas mudou de idéia e disse: "Nooooo..."

E lá foi ela dançar.

Chamei o gerente da boate e pedi o telefone da Gabriela.

Se a consciência estiver seduzida pela sensação, um objeto pode ter uma qualidade agora e pode ter outra depois, já a razão ultrapassa os níveis da sensação e identifica o absoluto. Foi Hegel quem disse.

"Você escolheu a melhor, é a menina mais generosa e educada que apareceu."

Educada? Conheci a menina há meia hora e já senti ciúmes da sua profissão.

Carla voltou do banheiro emburrada.

Gabriela dançava me encarando, com o seu biquíni preto, seus olhinhos claros. Ela segurava na barra de acrílico do teto, voava como se fosse uma trapezista leve, elástica, que caso se soltasse flutuaria como uma pena, rodopiaria pelo salão, e, apesar de todos tentarem segurá-la, cairia no meu colo e me beijaria a nuca, diria finalmente você veio, esperei tanto... Iríamos embora. Porque tenho o quê? O veneno. Pensa que me iludo? O homem é para si razão formada, não é, seu Hegel?

"Vou pegar um táxi", Carla interrompeu a minha filosofia.

"Não vai, não! Cadê a Neide?"

"Foi atender."

"Puta, e não me avisou?"

"Você estava ocupado."

E saiu.

Me levantei, deixei uma grana na mesa.

Gabriela me abraçou, encostou os seus peitinhos no meu ombro, para eu sentir o quão duros eram, putinha, e grudou a coxa no meu pau, para eu perceber, putinha, como ela o deixava durinho.

"O que você faz?", perguntou.

"Sou cafetão. E filósofo."

Ela riu.

"Eu preciso ir."

"Agora?"

"Eu te ligo. Me chamo Luiz. Lu. Não esquece o meu nome. Vou te ligar. Quero te encontrar depois."

"Fica, por favor."

"Você vai esquecer o meu nome?"

"Fica."

"Decora. Luiz. Lu."

"Tô te pedindo, fica..."

"Vou te ligar."

Nos despedimos com um selinho.

Lindo...

Alcancei Carla na calçada. Gabriela e Lu. Como obter confiança, se começamos com dois nomes falsos?

A caminho do flat. Carla, trincada, sentada no banco traseiro, cheirou e perguntou:

"O que está acontecendo?"

Inclinou para a frente e começou a cantar Cássia Eller: *"O mundo está ao contrário, e ninguém reparou. O que está acontecendo? Eu estava em paz quando você chegou..."*

Comecei a cantar com ela.

Na garagem do flat, ela parou de cantar.

Estacionei.

Olhei para trás, vi os seus olhos revirarem, os braços chacoalharem, as mãos se fecharem. Pulei para o banco de trás, estendi o seu corpo, coloquei a cabeça no meu colo, enfiei a fivela do cinto na sua boca. Abracei com força, para ela não bater a cabeça.

Como curar um ataque desses?

Dois comprimidos de Diempax, ou benzodiazepínico, calmante que reduz a ansiedade, dois de Topamax, anticonvulsivo que age no sistema nervoso central. Se a barra pesar, aplicar uma injeção de coquetel de Fenergan com Haldol, que controla a agitação.

Adivinha quem me ensinou.

O mesmo para quem liguei naquela madrugada, quando a vi espumando pela boca.

Em meia hora, ele apareceu no meu quarto com a maleta de enfermagem, um avental azul-claro e o rosto sério. Como me incomodavam aquele ar superior e o avental azul-claro. Entrou e não disse nada. Foi direto para o leito, checar a pressão e o batimento da paciente. Olhou a íris, a língua. Ouviu o pulmão. Me reprimiu movendo a cabeça. Aplicou a injeção. Esperou quinze minutos em silêncio. Mostrei o pó que ela cheirava, como uma vítima mostra a cobra que a mordeu, para identificarem o antídoto.

Ele me olhou furioso. Guardou os apetrechos na maleta, se levantou e, antes de ir embora, disse:

"Não me interessa o que você faz da sua vida."

"Ainda bem."

Acompanhei-o até o elevador.

"Não é o seu aniversário?", perguntei.

"Domingo."

"Que dia é hoje?"

Ele não respondeu.

"Parabéns. Vai ter almoço?"

"No domingo. Me liga se ela não melhorar."

"Obrigado, pai."

Fiquei de plantão lendo. Perdi o café-da-manhã incluso. Abri a maleta do laptop, para colocar a grana que ganhei na noite anterior. Guardei também o telefone de Gabriela, o incrível anjo voador.

Tocou o telefone.

Surpresa.

Eu não deveria atender, mas se ignorasse podia acordar Carla, desmaiada na minha cama.

"Alô?"

"Quem fala?"

Não é estranho alguém te ligar e ainda perguntar quem fala?

"Quem é?"

"Denise F., do encarte. Desculpe ligar cedo."

"Oi, Denise, sou eu. Pode falar."

"O Cardoso me deu o seu número. Você está num flat?"

"Temporariamente."

"Eu adoraria morar num."

"É divertido. Diferente. Mas, no meu caso, é uma necessidade."

"Eu sei."

"Sabe?"

"Sei."

"O que você sabe?"

"O que todo mundo sabe."

"O quê?

"Pode falar agora?"

A inversão de poder tornava aquele telefonema uma peça que transformaria a minha vida. Para o bem ou para o mal. Este euzinho aqui era o senhor das ações.

"Posso."

Apesar de eu conter o volume da voz, Carla recobrou os sentidos.

"Você já está empregado?", Denise perguntou.

"Não."

"Não vai viajar?"

"Não."

"Está procurando emprego?"

"Não."

"Quer voltar?"

"Para onde?"

"Para cá."

"Você está falando sério?"

"Voltaria, se te chamassem de volta?"

"Não sei."

"Quanto tempo vai ficar sem fazer nada?"

"Estou escrevendo um livro."

"Reportagens?"

"Não. Um de filosofia e considerações sobre o amor."

"É?"

"Sabe que o pensamento vai além do é ou não é, do existe ou não. As coisas podem vir a ser, se tornar alguma outra coisa, através do aprendizado e processo dialético."

"Interessante."

"O amor pode vir a ser, se tornar algo, ser construído. Balela esse papo de que existe ou não."

"É por isso que estou ligando. Sei que você está, como eu diria, '*de férias*'. Mas jornalista não fica parado, não é mesmo? A gente queria te pedir uma crônica. Para o encarte. Um frila."

Ela disse "de férias". Imbecil. Usamos "em férias", jamais "de férias"! Esta é a editora que substituiu Natália e me desprezou.

"Por que pensei em você? Soube que acabou de se separar. Estamos fazendo uma edição sobre casamento, relação, amor, desamor."

"Me pegou no momento certo. Uma vez escrevi um poema sobre isso, quer que eu declame? É curto."

"Claro."

E declamei, enquanto Carla levantava a cabeça para vomitar no meu carpete: "*Com ela eu repartia.*"

Silêncio.

"Não disse que é curto?"

"Faremos uma edição especial para o Dia dos Namorados, e perguntaremos se é verdade que o amor acaba. Gostaria que você fizesse uma crônica a respeito."

Carla disse a frase mais estúpida que alguém já disse, depois de vomitar:

"Estou com fome."

"Para quando?", perguntei.

"Tem tempo."

"Que tamanho?"

"Três mil caracteres. Você acha que dá?"

"Posso ser franco? Estou sem cabeça agora."

"Ah, que pena. Tem certeza?"

"Pois é, estou EM férias..."

"Você está com raiva da gente?"

"De quem?"

"De todos."

"Quem são todos?"

"Da empresa."

"Claro que não."

"Eu não concordo com os rumos tomados, sou nova nela, nem sei o que..."

"Preciso desligar."

"Não quer falar sobre isso?"

"Não. Você entende?"

"Claro. Está ocupado?"

"Bastante."

"Desculpe. Bem, se mudar de idéia ou decidir algo, não hesite em me procurar."

"Não hesitarei."

"Pede uma pizza", disse Carla, enxugando a boca com a fronha do meu travesseiro.

"OK, a gente se fala então. Bye-bye..."

Desligou.

"E uma Coca bem gelada. Preciso de uma pizza agora."

Puta inconveniente. O amor acaba. Amor não basta. Ele pode ser não amor. Amor é antiamor? Ou seria ódio?

A dúvida me imobilizou de repente.

"Com gelo e limão. Ou pedimos um vinho? Adoro vinho tinto. Um Malbec. Ar-gen-ti-no...", disse, como se soletrasse um nome complicado.

Pizza engorda.

Coincidência ou provocação. Fomos almoçar num lugar conhecido como Bar das Putas, que, apesar do nome, não é mais freqüentado por putas.

Comi um espeto misto. Carla ficou no franguinho sem tempero e purê de batatas. E um Malbec argentino quente e azedo.

Apareceram Neide, Suzana, uma japinha exótica, Luísa e Marcinha. Bem, pelo menos, assim se apresentaram. Antigas colegas do puteiro de Carla, fechado pela Vigilância Sanitária. Agora, atendem no flat. Comeram saladas e grelhados. Boicotavam carboidratos. Irritantemente saudáveis.

Enquanto eu devorava uma lingüiça grelhada, pensei naquilo que mudaria o rumo da minha vida: escrever uma carta de amor para quem me largou.

Cercado por cinco garotas perfumadas, com calças autênticas, que conversavam entre si e nos celulares ao mesmo tempo, enquanto todos os tiras ao redor, sim, porque é ponto de polícia, já que estávamos perto da 4ª DP, nos examinavam com atenção, pensei em escrever algo para o meu amor me querer de volta.

Ela leria a revista, saberia que a crônica era para ela, ficaria tocada, sufocada pela emoção, com lágrimas escorrendo e a garganta apertada. Se não desse certo, escrever sobre o amor que ela deixou para trás me traria paz, um cisco de vingança.

Farofa, batata-frita, um espeto misto e a decisão: me reaproximar do amor interrompido.

Sairei da trincheira com a arma em punho, lâmina embainhada, através do encarte da revista semanal, correrei gritando um texto contra o fim do casamento, na edição que traria a notícia do aumento do número de divórcios e separações.

Escreveria pensando nela e torcendo para que ela lesse, se é que ela ainda lia ou assinava a revista. Ou será que assinou a concorrente, para evitar o meu nome?

"Agregar valores." Acredita que uma das meninas usou esta expressão? Até elas usam.

Só no dia seguinte, liguei cedo para Denise F.

Anunciei que mudara de idéia e topava escrever a crônica de 3 mil toques no prazo estabelecido, o que era um prazo para lá de esticado para quem não tinha nada para fazer, anos de prática, superficial conhecimento de filosofia, etnologia e agora putaria, além de um tema queimando nas mãos e no coração.

Na piscina, abri o caderno.

Olhei a página em branco.

Minutos parado, com a caneta na mão, repensando na minha vida, e no que eu gostaria de falar para as mulheres, já que o encarte era lido por elas.

Eu poderia lançar clichês sobre a crise do gênero masculino, que as mulheres avançaram nos tempos, e os homens, não, o que sempre repercute bem. Com certeza eu seria convidado para entrevistas em programas de rádio, TV Mulher e em dois programas analíticos da tevê fechada. "O que você acha, meu caro, da emancipação?" Mas faz cinqüenta anos que ela começou, a gente ainda vai falar dela, minha cara apresentadora, amiga?

Se há a máxima de que um escritor escreve para si, eu queria tocar todas elas, emocioná-las, machucar, arder, relembrar dos nossos momentos, falando de mim.

As duas tinham que sentir culpa por terem me deixado.

Queria que ficasse claro para elas quem e o quanto perderam. Sou humano, apesar de jornalista.

Não posso pensar em floreios de psicólogo de revista mensal. Minha concentração deve estar no texto, no alvo. Mas, para isso, preciso saber o básico: o que eu quero?
Pedi cigarros para Jacaré.
Hoje, quero o vermelho, réptil! Nada de light!
Apareceram as garotas para o banho de sol e arriar as baterias dos seus celulares. Jacaré atrapalhado, requisitado.
Marcinha e Luísa vieram me sondar.
"A Neide te elogiou, disse que você faz bons caminhos."
"E fica com 30%."
Fechei o caderno transtornado pela oferta. Um jornalista da velha guarda, poeta hegeliano e atual cronista, especialista em amor, não podia aceitar uma proposta infame daquelas. Fechei a caneta, acendi um cigarro e disse, gentilmente, porque já as considerava amigas:
"Querem me passar pra trás? São 40% mais a gasolina."
"Com a Carla você combinou 30%."
"A Carla tem privilégios. Ela é amiga e me paga sorvetes."
"A gente te paga sorvetes."
"Fechamos por 30%", tentou Luísa, boa negociadora.
"Nada feito."
"E 32%?"
"Será uma complicação ter trocado."
"Então 35%, mas sem gasolina", sugeriu Marcinha.
"Tá, 35%, sem gasolina, mas com sorvete."
"Fechado."
"Vamos brindar."
"Álcool engorda."
"Já-ca-ré! Soda limonada para todas. Light."

Neide me deu um celular novo. Instalou um carregador no acendedor de cigarros do meu carro, programou os telefones de todas elas. Lógico que Luísa, a negociante, anunciou que o valor de tudo seria descontado.

Nem esperei trocar minha carta de motorista por uma profissional.

Começamos a trabalhar naquela tarde.

Uma jornada para lá de estafante, comparada a um fechamento de jornal diário.

Duvida?

Deixei Marcinha num apartamento.

Levei Luísa para um dos restaurantes mais caros dos Jardins. Um cliente empresário precisava de uma michê para acompanhá-lo num almoço. Luísa, a mais linda das garotas, alta, olhos castanhos, lembrava uma modelo dos anos 80: saudável, cabelos longos. Faltava a pinta no rosto. Marcinha era a profissional com cara de puta, roupa de puta, jeito e andar de puta: baixinha, cabelo loiro artificial, usava lentes azuis, corpo violão, bundão, estilo mignon. Especialista em anal. Revelou-se a garota mais requisitada do grupo.

Neide, você sabe, a morena brasileira. Gaúcha. Extrovertida. Que deixei no mesmo hotel em que a tinha levado dois dias antes, para o mesmo cliente europeu.

Marcinha me deu trabalho. Terminou rápido o primeiro programa, dona de uma técnica sigilosa que leva os clientes a gozarem em minutos.

Corri para apanhá-la.

Deixei-a num apartamento em outro bairro.

Preocupado, liguei para Luísa, que não atendeu. Continuava no almoço.

Então, Neide chamava. Tinha um programa num outro hotel, e não daria tempo de almoçar. Pediu para eu passar num drive-thru, comprar uma salada e uma maçã. Ela comeria no caminho até os Jardins. Obedeci, aproveitei e comprei um x-burger. Comi voando para o Brooklin, dando uma mordida em cada farol.

Peguei Neide, que comeu a salada no banco de trás.

Deixei-a no outro hotel, aproveitei e caminhei uma quadra até o restaurante, para ver se estava tudo bem com Luísa. Da calçada, a vi numa mesa grande, com executivos toscos. Acenei de longe. Ela me viu e foi ao banheiro. Entrei no restaurante e fui direto ao banheiro.

Nos encontramos na porta deles.

"Quem são?"

"Uruguaios. Querem fazer uma parceria com aquele gordo da ponta, quem me chamou."

"Sério? Coitada. Você vai ter que dar?"

"Acho que, depois do que ele comeu, vai dormir pesado."

"Tomara. O que eles fazem?"

"Tem um banqueiro, empresário, dirigente, ex-jogador de futebol."

"Onde os uruguaios estão hospedados?"

"Na Oscar Freire."

"Quanto tempo você combinou?"

"Três horas. Mas já estou há quatro horas aqui."

"Ele já te pagou?"

"Tudo bem, estou curtindo."

"Escuta tudo com atenção, decore os nomes, os valores. Vou ficar no bar, se precisar de algo."

"Belê. Queria um beque, você tem?"

"Não. Tenho um Marlboro."

"É light?"

"Não. Serve?"

Serviu.

Ela entrou no banheiro. Entrei no masculino, lavei o rosto, voltei e me sentei no balcão do bar. Pedi um gim-tônica. Liguei para Cardoso. O meu instinto jornalístico rugia.

"E essa moleza?"

"Sobrevivendo. Tem aqui uns uruguaios suspeitos negociando com aquele corrupto do STJ, como é mesmo o nome dele?"

"Gomes ou Medeiros?"

"Medeiros. Parece treta de jogo. Estão com o advogado do Leal, aquele bicheiro."

"Contraventor."

"Vem aqui fotografar. À noite, a gente fala do que foi conversado."

"Vou ver com a pauta aqui."

Reparei que Marcinha me ligava simultaneamente.

"Preciso desligar. Que horas?"

"Onze?"

"Fechado. No Espaço?"

"Inté."

Atendo Marcinha.

"Oiê, tô numa padoca. O que eu faço?"

"Espera que eu te pego."

"Já almoçou?"

"Já."

"Vou comer aqui então."

"Chego em 20 minutos."

Deixei uma nota de 20 no balcão, acenei para Luísa e me mandei.

Perguntei por Neide para os manobristas do hotel. Estava lá ainda. Dei dez reais pros caras, peguei o carro.

Numa esquina, Marcinha estava em pé, com uma lata de guaraná light na mão. Entrou no carro afobada.

"Corre, preciso voltar pro flat, marquei um programa pra daqui a 30 minutos. Eu queria tomar um banho. Acho que não vai dar."

"Puxa. O terceiro."

"O quarto. O pai do garoto chegou e quis me comer também."

E colocou um bolo de notas no meu colo.

No flat, organizei a jornada.

Todas bem perto. Luísa e Neide a duas quadras.

Na piscina, abri o caderno. Só amar não basta.

"Já-ca-ré! Uma dose de gim! Com gelo."

Acendi um cigarro.

Pensei por 17 minutos. Dei pela falta de Carla. Jacaré informou que ela não apareceu.

Fui até o seu quarto. Coloquei o ouvido na porta. Silêncio. A não ser um filhote de pitbull respirando ofegante por debaixo da porta, louco para crescer e trucidar a minha nuca. Eu não bateria na porta. Nem a chamaria. Se bem que não trabalharia com o cachorro à solta.

A porta do elevador se abriu.

Apareceu um sujeito atrás de mim.

"Pois não?", perguntou.

Perguntou como um proprietário perguntaria, caso flagrasse um estranho agachado com o ouvido colado na sua porta. Tinha uns 55 anos, bem fora de forma; barriga e calvície proeminentes. Usava um uniforme branco. Carregava um maço de rosas vermelhas. Não iria me causar problemas, se partíssemos para a ignorância.

"Nenhum problema, e com você?"

"Eu também não tenho problemas."

"Que coincidência."

"O que você está fazendo?"

"Nada."

"Perdeu alguma coisa?"

"Não."

"Está procurando Carla?", perguntou.

E riu. Apertou a campainha.

Esperamos.

Carla atendeu com cara de sono e enrolada num lençol. Disse oi para o cara e nada para mim. Pegou o cachorro no colo, virou as costas, deixando a porta aberta e voltou para a cama. Ele me olhou vitorioso, entrou e bateu a porta.

De volta à normalidade.

Fiquei parado, esperando ela gritar por socorro. Nada. Nem o cachorro respirou. Me perguntei em que momento ele toma o Viagra: no carro, no elevador ou assim que entra.

Marcinha ainda fez outros dois programas naquela tarde. Todos no flat.

Neide ficou no hotel até o fim da tarde, voltou para o flat, fez um programa e foi dormir.

Luísa terminou o almoço com os empresários suspeitos e teve que ir ao hotel, trepar com um dos uruguaios. Ganhou em peso uruguaio. Ganhei a minha parte em peso uruguaio. Posso montar uma corretora no futuro.

Fui buscá-la à noite. Ela continuava linda, com o seu cabelo armado, como se tivesse acabado de se arrumar. Fomos tomar um café ali perto. Claro que todos a olharam. Luísa, graduada, disse que falava três línguas: português, portunhol e inglês. Fã de cinema brasileiro, viu tudo. Até aí, normal. Garotas de programa passam horas num cinema, entre um programa e outro. Mas ela não gastava o tempo apenas, assistia e acompanhava a carreira de alguns cineastas brasileiros. Discorreu sobre a evolução da retomada do cinema brasileiro. Ela usou esta expressão: "retomada". Me perguntou muito sobre bastidores do jornalismo, especialmente sobre economia. Até eu me lembrar que tinha marcado com Cardoso no Espaço.

Voltamos para o flat, subimos para o quarto dela.

Luísa disse que só trocaria de roupa, pois tomou banho no hotel.

Eu examinava os seus livros, todos na lista de best-sellers. Quando percebi um silêncio longo demais. Ela estava em pé, nua na minha frente.

"Você quer me comer?"

Como se uma ascensorista anunciasse um andar.

Era um corpo lindo. Como ela.

"Não. Quer dizer, não é que eu não queira. Mas..."

"Você é viado?"

"Sou ansioso."

"Quer que eu te chupe?"

"Não precisa."

"Para relaxar."

"Prefiro uma cerveja, você tem?"

"Não gostou de mim?"

"Gostei. Você é demais."

"Então por que não me come?"

"Desculpe. Eu estou sensível", eu disse. "Vem, vamos tomar cerveja na Marcinha."

Passamos no quarto ao lado.

Marcinha terminava o sétimo programa.

Bebemos umas cervejas.

Elas cheiraram.

Luísa contou que eu não quis comê-la. As duas ficaram tirando uma onda da minha cara. Começaram a me agarrar e fazer cócegas. Até me abraçarem, uma por trás, e a outra pela frente.

Tive uma reação espantosa.

Comecei a chorar.

Elas me soltaram.

Eu não chorava de tristeza. Longe disso. Me emocionei. E feliz por ter amigas. Com prazer e medo de como eu tocava a minha nova vida. Emoções à flor da pele. Linda esta expressão. De onde será que apareceu? Dá um poema:

"A pele da flor vive e sente à flor da pele o vento, o calor do sol, o suspense da noite."

Encontramos Cardoso no Espaço.

Luísa narrou em detalhes o almoço que testemunhara, em que discutiram transferências de jogadores de futebol para o Uruguai, subfaturamento e casas de jogos ilegais. Cardoso anotou num bloco. Fotografara todos eles saindo do restaurante.

Cardoso perguntou se eu já tinha enlouquecido nas férias forçadas. Me orientou que eu deveria viajar. Contei do meu livro de filosofia. E declamei meu poema *À Flor da Pele*. Ele disse friamente que "à flor de" quer dizer "à superfície de". Ah, vá...

Luiz Mário apareceu para dar as boas-vindas ao grupo eclético.

"Lu, vamos dar um teco!"

"Não, vão vocês."

As duas foram ao banheiro. Sim, uma garota de programa também vai ao banheiro com a amiga. Especialmente para cheirar.

"Lu?", perguntou o verdadeiro Luiz Mário.

"É uma longa história."

"É uma longa noite", disse Cardoso. "O que está acontecendo?"

"Por que Lu?", perguntou o verdadeiro.

"Todos no flat me chamam de Lu. Acham que eu sou você."

"As garotas trabalham lá?", perguntou Luiz Mário.

"São minhas amigas."

"Você conheceu no flat?"

"São maravilhosas."

"Comeu?"

"Não."

"Por quê?"

"Porque não posso."

Fiz suspense e acendi um cigarro.

"Voltou a fumar?", perguntou Cardoso.

"Por que não pode?", insistiu Luiz.

"Don't get high with your own supply...", declamei o preceito de traficantes cautelosos, que só ganham dinheiro se não consumirem a própria commodity. Refletiram alguns segundos.

Luiz Mário emendou:

"Sério?"

"O que está acontecendo?"

"Como assim?"

"Você não entendeu?"

"Ele está agenciando as garotas."

"Não fode!"

"Não fodo. Agencio. Começou aos poucos. Com Carla, depois com as amigas. Ganho de 30% a 35%. Estão interessados? A Marcinha vai por 250. Tem a Neide. No flat, elas fazem por 200. Mas estou achando muito barato, pensando em aumentar. A Luísa é a mais cara."

"Você pode ser processado!"

"Sou uma raridade no meio jornalístico: nunca fui processado."

"Quem é Carla?"

"Uma ruiva indolente. Curte?"

"Não se fica amigo de puta, olha lá...", aconselhou Cardoso.

"Eu sei, vocês vão me perguntar por que deixei isso rolar. Aconteceu. E me sinto outro. Com outros projetos, pensando em outras áreas de atuação."

Os dois me olharam perplexos.

Fomos interrompidos pelas duas meninas, que, não teve jeito, me arrastaram até a pista de dança, onde dançamos, como três trutas, 2 Pac e, depois, o seu inimigo, The Notorious B.I.G.

"Fuck you mother sucker!"

Era a noite black.

Me agarraram.

Fizeram sanduíche de mim.

Dançavam para mim.

E eu, eufórico, dançava e chorava emocionado: *"Suck my dick!"*

Amanheceu claro e abafado. A poluição cobria a cidade.

Enquanto na piscina eu tentava escrever algumas linhas da minha crônica, Luiz Mário, o verdadeiro, apareceu. Sentou. Ia falar algo, mas as meninas de biquíni com celulares na orelha, marcando programas, enquanto folheavam revistas, tiraram a sua concentração. Paisagem para mim já familiar.

"Nunca tinha subido aqui."

"Vou devolver o flat e alugo um para mim."

"Não vim aqui por causa disso."

"Você está puto comigo?"

"Aquela é a Carla?"

Apontou para a ruiva que sentou na sombra e abriu o laptop.
Nem precisei responder.

"É sua?"

"E de quem pagar. Não prefere a Marcinha? A loirinha."

"É gostosa. Mas tem cara de puta."

"Você é daqueles que não gostam de puta com cara de puta? Pois saiba que, delas, é a mais requisitada."

"Pensei que quem come puta gostasse de puta com cara de puta."

"Quer a Luísa? Parece uma modelo dos anos 80. Tem também uma morena brasileira, a Neide."

Luísa me acenava.

Tinham que ganhar a vida.

Tínhamos.

Pedi desculpas a Luiz e desci correndo.

Luísa veio comigo. Queria trocar pesos uruguaios. Eu nem sabia da cotação da moeda. E por que ela aceitou esta moeda encalhada?

Luísa era muito boazinha para uma puta.

No quarto, liguei o celular, e ele tocou.

Número não-identificado.

Marcos Resende satisfeito por eu ter aceitado a encomenda. Abri a maleta do laptop com notas de real e euro, Luísa colocou o seu cachê uruguaio, fez as contas e foi pegando. Viu o papel dobrado com o telefone de Gabriela.

"Quem é?", perguntou curiosa, enquanto ele me perguntava se eu não queria almoçar. Por conta da empresa, disse; senha para um almoço caro e gratuito.

Peguei o papel da mão de Luísa e me desculpei com Marcos, que estava muito ocupado, mas que poderíamos almoçar outro dia, com certeza, e não disse quando. Ao desligar, Luísa me perguntou:

"Você me acha feia?"

"De onde você tirou isso?"

"Quer me comer?"

"Agora?"

"Por que não?"

"Temos que faturar."

"Uma rapidinha..."

"Depois."

"Não sou atraente?"

"Claro que é!"

"Por que não me quer?"

Acredita que tive que apelar?

"O problema não é você, sou eu..."

"Quer que eu te chupe? De repente, curo o seu problema...", ela falou.

"Luísa, você é linda."

"Então me come!"

E fez uma cara decepcionada. Era um mulherão, mas tinha um jeito de criança. No rosto umas expressões infantis. Levantou o lábio inferior, inclinou a cabeça, como uma criança fazendo manha.

"Não fica *tlis-ti-nha*. Não é nada contra você. Olha, me separei, estou meio atordoado. Mais tarde eu te como."

"Promete?"

Voltamos para a piscina.

Assim que a porta do elevador abriu, Carla e Luiz estavam parados, esperando. Saí do elevador, e eles entraram. Juntos. Sorriram para mim.

A porta fechou.

Foram.

Olhei a cena chocado. Foi além do ciúme.

Carla e Luiz iriam para um quarto. Negociar. E o meu business poderia ruir. Não se confia em dono de boate nem em puta. Se bem que, quem tem Marcinha, tem a vida garantida.

"Vamos, gato, me deixa no centro?", ela me pediu, iniciando a jornada.

Foi um dia daqueles.

Mudamos a dinâmica do negócio. Eu não seria mais apenas o motorista. Às vezes, dependendo do programa, eu ficaria com o celular da garota. E, se tocasse, eu agendaria.

Na maioria das vezes, o cliente desligava na minha cara. Claro. Uma vez ou outra, eu explicava que era o motorista, e que ela estava na academia, mas podia agendar o programa comigo. A maioria ficava desconfiada. Pensei que seria bom eu chamar alguma amiga para trabalhar comigo. Ela atenderia os telefonemas "oi, bem... sim, gato... pois não, querido..."

Decidi anotar os programas no caderno que já foi de poesia, que pretendia ser de filosofia, e que aguardava uma crônica sobre se a merda do amor acaba. Um livro-caixa.

À noite, sozinho no quarto, na companhia de uma garrafa de uísque, um maço e lembranças, decidi escrever.

Nada.

Pensei em todos os dias do nosso casamento. Das músicas que ela gostava. No jeito de acordar, me beijar, vestir, rir, dançar. Passei a sentir pena de mim, ótimo, comecei a chorar, me achar o sujeito mais infeliz do planeta, abandonado injustamente pela mulher, com um medo terrível de ficar só, nunca mais encontrar alguém, um velho andando pelas ruas sem ter onde cair morto, sem ter quem cuidar dos machucados, sem ter com quem repartir.

Enquanto me afundava numa angústia sem freio, ela veio, a inspiração.

Peguei a caneta e escrevi numa tacada.

"O amor não acaba. Deixa rastro. Na esquina em que se beijaram uma vez, lá está ele, na poeira suspensa, na revolta da memória. Na solidão do domingo, lá vem ele, volta com lamento, um desespero. No teatro, no palco de história de amor, no cinema, na tela com beijos e risos, na tevê, que inveja, já tive um amor igual. Onde ele se escondeu?

Na sorveteria, o amor volta em lembranças. Porque aquele sabor era o preferido dela, aquela cobertura era a preferida, aquela sorveteria era a preferida, aquela esquina, bairro, clima, lua, aquele mês era o preferido dela, a temperatura, aquele programa de fim de tarde e aquele horário sem planos para a noite.

No elevador, quantas saudades daqueles segundos em silêncio, presos na caixa blindada, vigiados por câmeras camufladas, loucos para se agarrarem, apertarem todos os botões, tirarem a roupa, riscar nas paredes: 'Eu te amo'. Não se tem saudades do que não se ama."

Peguei o celular e liguei. Ela atendeu:

"Alô, é Gabriela?... Sou eu, Lu... Lu, aquele cara que você conheceu na boate... É, está um barulho... Você me deu o seu telefone. O que você está fazendo?... Eu queria que você viesse pra cá agora... É nos Jardins. Estou num flat... Jardins é um bairro... Fechado... Tá, eu pago o táxi. Você vem?... OK... É Lu, de Luiz Mário. Tem como me anotar?"

Acendi um cigarro, tomei uma dose e continuei a minha obra:

"Amá-la me faz bem. Mesmo que ela não me ame, amo amá-la. Continuei amando desde o dia em que terminou. Passei dias amando como se não tivesse acabado. O amor não acaba, muda. O amor não será, é. O amor está. Foi. O não amor é o vazio. O antiamor também é amor. Lembra do meu dedo dentro de você? Te chupo. Amo aquele instante secreto, quando sua boca incha, seus olhos apertam, suas unhas me arranham e você diz, com tanta verdade: 'Eu te amo!' O amor acabou quando você se foi?

Você sentiu saudades da minha boca, pescoço, torrada com mel, das noites pelados assistindo à tevê, dos vinhos entornados no lençol e pelo chão, do café-da-manhã com jornal, de atravessar a avenida comigo de mãos dadas, de correr da chuva, do cinema gelado em que vimos aquele filme sem fim, torcendo para acabar logo e ficarmos a sós, da minha risada, dos meus olhos te espiando, meus dentes te mordendo.

Ficou longe de mim e pensou em nós todas as noites, bêbada ou louca, queria me ligar, me escrever. Meu vulto estava sempre presente..."

"Seu Luiz, Gabriela está aqui embaixo."
"Pode subir."
Eu falava de amar ou do amor pelo amor? Medo de ficar só?
Me fazia falta amar ou ela?
Me lavei na pia.
Subiu. Estava linda. Sexy. Que corpo.
"Lembra de mim?"

"Claro. E aí, tudo bem?"

"Tudo."

"Gostoso aqui. Engraçado você me ligar hoje."

"Por quê?"

"Ninguém faz programa no domingo à noite."

Me dei conta de que tinha perdido o almoço de aniversário do meu pai.

"Tem uma bala?"

"Não."

"O que está fazendo?"

"Escrevendo."

"Sobre o quê?"

"O amor, se o amor acaba."

"E ele acaba?"

"Depende. O que você acha?"

"Ah, não sei, sou muito novinha."

"Você já amou alguém?"

"Acho que sim. Acho que amei."

"E acabou?"

"Lógico. Se não, eu estava com ele até hoje."

"Senta..."

Ela sentou.

"Fique à vontade."

Tirou as botas e se acomodou melhor.

"Quer beber?"

"Não. Brigada."

Tirei os sapatos, me sentei e li para ela o que eu tinha escrito.

Dormiu.

Linda, dormindo encolhida.

Que puta indefesa.

Peguei o caderno e voltei a escrever:

"Diz, não acaba. Repete. Falei? Não acaba. Pode virar amor não-correspondido. Pode ser amor com ódio, paixão com amor, frustrado, mal resolvido. Tem o amor e o nada. Mas o nada também é amor. O amor não acaba. Vira. Só tenho uma certeza. Se acabar, não era amor."

Ela acordou de manhã.
Tomou um susto.
Começou a se arrumar rapidamente, enquanto eu contava que ela tinha dormido pesado. Eu só tinha colocado um cobertor sobre ela e dormi no outro canto da cama, de roupa, sem encostar nela.
Pediu desculpas pelo fora. Achei linda ela toda atrapalhada. Que puta amadora...
"Toma um café comigo."
"Não posso."
"É de graça."
"Não posso."
"Tem ovos mexidos."
"Tem?"
"Com salsicha. Você tem alguém? Quem cuida dos seus negócios? Quem aplica o seu dinheiro? Você tem plano de saúde? Faz exames médicos? Testes periódicos de HIV, HPV, Hepatite C? Sabia que agora tem vacina contra HPV? Você está em algum site?"

Gabriela, menina, chegou da Bahia há meses, para morar com tios. Estudava no supletivo. Queria ser técnica em eletrônica. Caiu na boate de pára-quedas, levada por uma vizinha, que sugeriu uma balada, sem avisar que era num puteiro.

Fazia uns três programas por semana. Ela sabe quanto ganha um técnico em eletrônica. E sabe muito bem quanto ganha uma garota profissionalmente ativa. Faltava coragem e alguém para apoiá-la.

Me olhou atenta. Bebeu suco de laranja pelo canudinho e comeu um suculento omelete com salsicha.

Expliquei como ela poderia ter qualidade de vida e faturar mais. Contei dos vários sites que exibem as garotas. Eles cobram de 500 a 800 por mês para postar fotos e o número do celular dela. O que ela faturaria comigo em um dia. Sem contar que cobram 2 mil de taxa de inclusão, com direito a fotografias. Posso emprestar o dinheiro.

Contei do esquema flat/motel/hotel, e que eu levo e trago. Que ela poderia morar conosco. Sim, eu disse conosco, e contei que havia mais quatro garotas. Todas lindas e jovens como ela. Pessoas legais que podiam ajudá-la em tudo. Legais só, não. Pessoas incríveis: "Quer conhecer?"

Fizemos o acordo na piscina.

Apresentei ao Jacaré.

Despertou curiosidade nas garotas que chegavam. Mais uma. E de respeito. Minha intenção era mostrar autoridade. O problema delas agora? Eu. Porque me tornava patrão. Se bobeassem comigo, se não lucrassem o suficiente, se não entrassem na linha, eu traria outras Gabrielas. A mensagem estava clara: puta é substituível.

Pedi para Luísa e Neide cuidarem da novata: arrumar um quarto, um celular novo e fotografá-la. Com quem? Com Cardoso, ora. Solidárias. E receosas. Receberam com cautela a nova colega.

A baiana me abraçou feliz.

Me comovi. Eu andava descontrolado. Quase em surto afetivo! Manifestações de afeto me emocionavam. Disfarcei.

E, luz! Pensei: euzinho poderia aumentar o campo e criar o próprio site. Pediria para Cardoso fotografar todas. Faturaríamos em cima.

Fui com Gabriela pegar suas coisas em Interlagos.

Fiquei no carro, com o motor ligado.

Ela entrou num sobradinho modesto, mas decente.

Até aquele momento, não me deu nenhuma crise de consciência. Ela já estava na vida. Só queria melhorar. E tinha talento.

Melhorar como, se eu a tirava de uma família?

Ganharia outra. Levaria uma vida agitada. Teria dinheiro para roupas, depois um carro, depois quem sabe compraria um apê, uma casinha para a mãe, ajudaria irmãos, primos, que viviam na Bahia.

Por favor, culpa.

Eu corrompia uma estudante de supletivo, futura técnica em eletrônica.

O que eu estou fazendo? Vá embora, deixe essa criança tentar outra vida. Dê uma chance. Se é para ajudar, matricule agora a garota num supletivo de primeira, o melhor da cidade. Ofereça oportunidades. Reflita. O carro está ligado. Vá embora.

Desliguei o carro.

Ela saiu com uma sacola de roupas. Se despediu dos tios na porta, que deram adeus à querida sobrinha, que se dava bem na terra das oportunidades.

Sentou sorridente e, de tão feliz, me deu um beijo na boca.

"Eu disse que você era o meu namorado. Vamos?"

Não liguei o carro.

"O que foi?"

"É melhor você não fazer o que eu peço. É melhor você sair do carro."

"Por quê?", perguntou, como uma inocente levando uma bronca.

"Não me dê ouvidos. Porque eu sou um filho-da-puta."

"Não é."

"Sou, sim."

"Não é, você é legal comigo."

"Não sou."

"É sim!"

"Sai do carro!"

"Não saio. Por que você está fazendo isso comigo, acha que eu não tenho valor, não tenho jeito? Eu sou muito boa em tudo o que eu faço."

"Eu te pago uma escola melhor."

Ela começou a chorar.

"Não quero! Quero morar com vocês no flat."

"Lá é horrível."

"Não é. Tem piscina, tem café-da-manhã, tem as meninas!"

"Você não pode cair nessa vida."

"Quem disse que não?! Você está sendo ruim comigo, muito ruim."

Seu choro ganhou proporções de um ataque: soluçava, perdia o ar, tossia, se descabelava.

Reparei nos tios ainda na porta. Estranhavam a demora.

Liguei o carro, engatei a primeira.

Fomos.

Só nos Jardins, ela parou de chorar. Encostou a cabeça no meu ombro e fez cafuné no meu cabelo. Agradecida. Mais uma. Ensinei:

"Quando você estiver com o cliente, vai elogiando, 'nossa, como você é gostoso', pega nele, fala que está louca de tesão e quer chupar, aí elogia, 'nossa, como é lindo o seu pau', gruda a mão e a boca, se o cara disser que quer conversar, fala que tá calor e tira a roupa, tira tudo, o cara fica com tesão na hora, no final, conta o dinheiro discretamente, como se tivesse sido secundário o pagamento."

Carla apareceu de surpresa no Espaço. Me cumprimentou friamente. Luiz Mário mandou nos servir champanhe. Ficamos cada um num canto do balcão, como dois desconhecidos. Perguntei se ela estava bem. Ela fez que sim com a cabeça e devolveu:
"E você?"
"OK."
Marcos, secretário de redação, meu algoz, apareceu na minha frente.
Que noite...
Cardoso o levou para nosso clubinho. O fotógrafo me olhou, como se aquele encontro, que ele sabia ser inconveniente, fosse necessário. Meu ex-chefe me cumprimentou:
"Preciso da sua ajuda."
"Viu o rolo que deu?", perguntou Cardoso.
"Não leio revistas nem jornais. Ninguém mais lê. Jornalismo vai morrer."
"Demos a matéria. Tudo errado. A sua fonte se confundiu. O ministro era o Gomes, não o Medeiros", ele disse.
"Entrou com uma ação: calúnia", contou Marcos.
"Como você deixou isso acontecer?", perguntei.
"O quê?"
"Nunca fui processado. Como você deixou isso acontecer?"
"Sei lá."
"Eu sei. Repita comigo. Foi a sua inexperiência e prepotência."
"Deixa o menino", me reprimiu Cardoso.

"Foi a sua inexperiência, prepotência, arrogância e juventude", repeti.

"Vai dizer que você nunca foi processado?"

"Nunca."

"Isso não existe."

Cardoso respirou fundo. Conhecia de cor meu currículo. Acendi um cigarro, soltei fumaça sobre suas cabeças e, como um palestrante, ensinei:

"Eu omitia aquilo de que não tinha prova, a declaração que podia trazer problemas, o dado de que não tinha certeza, a frase dúbia, acusação sem sentido, declaração bombástica cheia de entrelinhas, mensagens cifradas. Omitia, ouviu? Relaxa. Jornalistas não vão em cana. A não ser quando matam estagiárias, chamam seguranças de 'macacos', não pagam pensão alimentícia, afanam o que não devem ou traficam. Por causa da matéria que você editou, dificilmente será enquadrado."

"Mas jornalistas pagam indenizações se atingirem a honra de alguém. Em dez vezes", me corrigiu Cardoso.

Cardoso me olhou entediado e nos deixou. Ele sabia que eu iria dar uma lição de moral no foca. E dei:

"Destaque a frase polêmica do entrevistado apenas se a entrevista for gravada. A arte do verdadeiro repórter é colocar na boca da fonte o que interessa ao leitor."

"Precisamos da sua garota, para ela confirmar o que escutou."

Eu não entregaria a minha menina.

"É ela?", Marcos apontou para Carla.

Malandra, dava em cima dele!

"Não sou dedo-duro."

Marcos então colocou as mãos no meu ombro, olhou nos meus olhos, e com a lábia e encanto de um bom carioca, provou o seu grande carisma, me oferecendo o sorriso mais encantador da imprensa brasileira. E disse:

"Eu quero você de volta. Precisamos dos melhores. A sua experiência é importante. Estamos sentindo falta de você."

"Você fala em seu nome ou em nome da empresa?"

"Quer voltar?"

"Foi muito humilhante o que vocês fizeram comigo."

"Você quer voltar. Você não consegue ficar parado. É um vício."

"Querem uma rodada?", surgiu Luiz Mário, com uma outra garrafa de champanhe.

"Pense", me pediu o menino.

Me levantei e os deixei.

Mas me arrependi imediatamente.

Vi Luiz apresentar Carla a Marcos.

Marcos e Carla.

Ele nunca tinha ficado com uma garota de programa.

Depois daquela noite, ligou para ela, para um encontro. A princípio, ela declinou. Mas acabou armando com ele, que se arrumou como se fosse encontrar a mulher da vida. E ela furou. Marcos nunca tinha levado cano de uma mulher. Mas a puta...

Ele insistiu, ligou a cada duas horas. Marcou de novo. Ela deu outro cano.

Ele não desistiu. Ela pediu para não ligar mais. Ela ligaria, quando quisesse, estivesse pronta, disse na lata.

E ligou num sábado no começo da tarde.

"Vamos nos ver agora, na sua casa?", ela sugeriu.

Melhor dizer, impôs.

Ele tomou um banho rápido, se arrumou, arrumou a casa, checou o estoque de camisinhas, deixou tudo cheiroso, para a chegada da profissional do sexo, profissão cadastrada número

5.198: garota de programa, meretriz, messalina, michê, mulher da vida, prostituta, puta, quenga, rapariga.

Ela apareceu como uma universitária passeando. Ele ofereceu água, café, vinho, uísque. Carla não quis nada. Garotas não bebem em serviço. Medo de serem envenenadas ou dopadas.

Música.

Fazia o que sempre fazia, quando levava uma de suas conquistas para o abatedouro. Mas não precisava conquistá-la: o preço já estava estabelecido. Era fazer o que interessava, pagar e bênção. Acabou abrindo o jogo:

"Nunca transei com uma..." Interrompeu. Não ia dizer puta. E não conseguiu dizer garota de programa. "Nunca paguei para transar."

Ela riu.

Quantas vezes não ouviu este papo?

Ele colocou a mão nos peitos dela. Ela olhou, como se observasse uma borboleta pousada na camiseta.

"Quanto foi o táxi?"

"Vim andando. Moro perto."

"Você gosta do flat?"

"É legal. Bem legal."

"Que legal, eu adoraria morar num flat."

"Por que você não mora?"

"Sei lá."

Marcos estava com a puta, passou a tratá-la como uma, apertou os peitos dela, apalpou a bunda dela, lambeu a orelha.

"Posso conhecer o apê?", ela perguntou e se levantou.

Saiu andando pela casa. Ele foi atrás. Ela queria saber dos discos, livros, fotos, quadros, tudo no chão, e do piano de cauda.

"Como ele subiu até aqui?"

"Pela janela. Amarraram cordas e puxaram. Nem desafinou."

"Você toca?"

"Inclusive."

"Djavan?"

"Djavan, Tom Jobim, jazz..."

"Adoro música brasileira."

"Quem não gosta?"

"Tem gente que não gosta."

"Do que mais você gosta?"

"De pizza. E vinho."

"Vinho argentino?"

"É bom."

"Hoje em dia, são os melhores."

"Qualquer um?"

"Não. Tem algumas uvas melhores."

"Malbec, por exemplo. O custo vale o benefício. Malbec é uma uva", ela explicou.

"Você é uma uva."

"Como sabe, se nem experimentou?"

"Tem uvas que só de olhar dá pra saber que dão um bom vinho."

"Como você é galinha..."

"Sou um homem solteiro."

"E por quê?"

"Não sei. Será que não achei a mulher certa?"

Foram para a janela. Ela olhou para baixo.

"Não tenho medo de altura, você tem?"

"Só quando estou alto."

Ele riu do trocadilho. Ela, não.

"Não dá para ver meu flat daqui, mas é pra lá", apontou para o oeste.

Olharam a vista, ele a pegou por trás, e ela fumou um cigarro na janela. Ela falou de games. Marcos agarrou-a pelo pescoço e deu um beijo na boca. Ela correspondeu. O beijo virou um amasso. Logo, estavam tirando a roupa um do outro, quando ele interrompeu:

"Espere, nós nem discutimos se pago antes, se você aceita cheque..."

"Depois a gente vê isso", ela respondeu e se jogou no colchão.

E assim foi. Ela gozou, para a surpresa dele. Não fingiu. Um cara como ele sabia quando fingiam.

Depois, foram para o chuveiro, rolou de novo, e ela gozou.

Deitaram na sala para descansar, e rolou outra vez.

Passaram o resto do dia juntos.

Ele tocou piano.

Ela cantou.

Dançaram na sala.

Comeram.

Se despediram.

Ela esqueceu de cobrar.

Esqueceu?

Marcos nos disse no Espaço, bem alto.

"Foi a melhor trepada da minha vida, penso muito nisso, uma coisa meio óbvia, só porque era uma puta, relaxei sem me preocupar com o depois, e ela gozou. Mas aí veio o problema, o depois, ela foi carinhosa comigo, me abraçou, passou a mão nos meus cabelos, a gente pediu uma comida, ela temperou para mim, foi embora me beijando no elevador. Eu quis de novo, liguei várias vezes, ela não me atende, deixei recados, ela não liga de volta, e não me atende no flat, andei por aí, você não imagina o quanto eu sinto a falta... Preciso encontrá-la."

Acredita? Ela não cobrou, ele não pagou, e quem se estrepou fui eu, que não ganhei a minha parte. Estava na hora de eu ter uma conversa séria com aquela ruiva indócil.

Ditei para um trainee a minha crônica. Porque eu escrevera à mão. E não iria transcrever num computador de um cyber ou lan-house. Eu queria dar trabalho.

Sobre a minha cama, Luísa e Gabriela, seminuas, experimentavam cremes. Ouviam a minha crônica atentamente. Percebi que as comovia.

Bateram na porta. A baiana enrolada numa toalha de rosto foi atender.

Era Carla. Indignada com aquela cena.

"Preciso falar com você."

"Agora não posso."

"Eu espero."

Sentou na cama. Fiz sinal para as meninas saírem. As duas, enciumadas, se vestiram, enquanto eu ditava o epílogo da minha crônica, e Carla cheirava duas carreiras no criado-mudo.

"Tem o amor e o nada. Mas o nada também é amor. O amor não acaba. Vira. Só tenho uma certeza. Se acabar, não era amor."

As duas esperavam na porta o término do meu texto. Carla limpou o nariz, catou alguns grãos com os dedos e esfregou na gengiva.

"Pronto. É isso. Conseguiu pegar?... Beleza... Mande um abraço para Denise. Qualquer coisa, não hesite em me ligar."

Desliguei, empurrei as meninas emocionadas e hidratadas para fora e fechei a porta.

"Quer beber alguma coisa? Agora tenho gim, uísque, vodca, coca, cerveja... Lembra da primeira vez que veio aqui?"

"Tem energético?"

"Voltou a cheirar?"

"Hiii, qual é? Pensa que é meu pai?"

"Jamais. Filha minha não vira puta."

"É o que você pensa."

"Puta e viciada!"

"Quem cuida da minha vida sou eu."

"Sou eu quem cuida de você!"

"É nada!"

"Você trabalha para mim!"

"Trabalho nada!"

"Você é minha. Cadê o dinheiro do programa que fez com o Marcos?"

"Como você sabe?"

"Não me interessa se não cobrou, você tem que me pagar. Quer me passar para trás?"

"Pode pegar."

E me jogou um bolo de notas de 10, que fiz questão de contar e embolsar.

"Você me deu trabalho naquela madrugada. Tive que ligar para o meu pai. Não tem idéia de como o decepcionei. Não tem idéia do que foi ver meu pai aqui, ajoelhado, te aplicando uma injeção, se humilhando, se desligando definitivamente de mim. Nunca mais nos veremos, sabia? Te demos um coquetel de... Nem se lembra, né?"

"Eu não ia fazer falta se morresse."

"Quem disse?"

"Eu disse. Você tem outras agora, Lu? Aliás, é Lu mesmo? É também Luiz Mário?"

"Veio aqui pra encher o meu saco?!"

"Você quer me ouvir?!", ela gritou e começou a chorar.

Lá vem.

Esperar. Como num terremoto: só se sai para a rua, quando a Terra pára de tremer. Acabei me servindo uma dose de gim. Ela cheirou outra carreira.

"Eu me apaixonei pelo seu amigo."

"Marcos?"

"É."

"Não começa... Você é puta. Trepa por dinheiro. E o cara não vai namorar você."

Tomei a dose num gole e servi outra.

"Mas eu não posso e não quero me apaixonar. Eu tenho outro."

"Aquilo é um entretenimento, um negócio, ele te paga, te come e volta para a vida dele de médico rico casado."

"Prefiro isso a me apaixonar."

"Você tem que aproveitar agora e faturar, trabalhar, trabalhar, trabalhar, e, na folga, trabalhar, enquanto o corpinho agüenta e desperta interesse, investir a grana, e depois se apaixonar à vontade. Mas, por favor. Não seja ridícula. Meta-se com alguém do seu mundinho."

"Tenho medo de me envolver."

"Ele sabe disso?"

"Ele disse que me adora."

Sentei e só parei de rir quando ela começou a esticar outra fileira.

"Amar uma puta não dá. Só no cinema. E você não é a Julia Roberts. Se você cheirar outra, eu te ponho pra fora."

"Você não manda em mim. Não trabalho mais pra você."

"Então, sai. Não quero uma garota morrendo de overdose no meu carpete."

"Eu te odeio."

"Odeia nada."

"Pensei que você fosse meu amigo."

"Você trabalha pra mim."

"Vai se foder!"

Ela se levantou, deu um chute no tampo de vidro, que não quebrou por milagre.

"Se quebrar, vai pagar!"

Deu outro chute, e nada.

Desistiu.

Queria me passar para trás.

É preciso zelar pelos nossos negócios.

Cada uma que eu tinha que aturar.

Demorou, mas exorcizei, amor da minha vida, coloquei para fora.

Minha declaração de amor gira velozmente em bobinas de papel numa rotativa offset heatset, que imprime o encarte feminino e os dilemas da minha alma!

Meus apelos estarão nas portas dos assinantes domingo cedo. Nas bancas, mais cedo ainda. Não sei se você ainda assina a revista que, lamento, roubou o meu tempo — fato que você tanto combateu.

Mas se não ler, haverá alguém para tocar o alarme, tirar-lhe a venda dos olhos e gritar: Corra, querida, princípio de incêndio no seu destino, leu o encarte?! Viu o que ele escreveu?! Foi para você, óbvio, é lindo, leia, nossa, ele está ainda completamente na sua, amiga, um homem desse, apaixonado assim, sincero, não tem no mercado, é culto e inteligente... Olha, você já o conhece, a casa está aí montada, então? Ah, se eu fosse você, colega, não pensava duas vezes, o amor não acaba, não, ele provou. Tão romântico...

A crônica saiu na semana do dia 12 de junho.

Para comemorar, joguei fora o maço, isqueiro e cinzeiros.

Parei. Por uma antitabagista militante, eu queimaria todas as ações das companhias de cigarro, envenenaria as plantações de fumo do Rio Grande do Sul.

Nunca fui tão cedo a uma banca comprar um artigo que eu mesmo tinha escrito. Nunca fiquei tão lisonjeado ao ver o meu nome assinando um texto, especialmente aquele especialmente iluminado. Examinei a ilustração encantado. Até o número da página em que foi publicado, 8, tinha a sua relevância: o símbolo do infinito.

Esperei o telefone tocar.

A redenção.

Telefone que insistiu em não tocar.

Não naquele domingo.

Nem na segunda.

Estaria viajando?

Leria na terça, depois do seu celular não dar folga: amigos informando sobre a crônica tocante sobre o amor.

Não ligou na terça.

Nem na quarta.

Reli a crônica. Tive uma revelação: de quem eu falava? Claro! O protagonista era o amor. Um inventado e genérico. Eu estava falando de amar, não do objeto da devoção. Podia ser Ariela. Podia ser qualquer uma! Escrevi sobre nostalgia, não para a mulher da minha vida. O amor pelo amor. Não por alguém. Me fazia falta amar! Me fazia falta repartir.

Então, no sétimo dia, ela ligou.

Disse que leu a crônica, que queria me ver, que estava com saudades, que podíamos tomar um vinho num bistrô charmoso ali perto, que ela estava feliz em me ouvir, em me ler, que tínhamos tanto o que falar. Frases calculadas. Como um bolero romântico.

6

Frio de congelar as lembranças. Eu estava bem agasalhado. O primeiro dia de frio do ano. O bistrô, vazio. As ruas, vazias. Nos primeiros dias de frio, a maioria se esconde atrás de janelas fechadas, taças de conhaque, cobertores felpudos, livros e televisão.

Sentei numa mesinha da calçada. Pedi para o garçom acender o aquecedor a gás. "Chapéu-de-sol", ele me corrigiu.

Pedi logo uma taça de vinho.

Porém, voltei atrás.

Lembrei de uma das queixas de Ariela: eu pedia coisas sem consultá-la.

Pensei e reafirmei o pedido. Eu era outro, anos depois, ponto final. Novos vícios e qualidades, colesterol e manias, barba e óculos de leitura, arrogância e sabedoria. Pediria uma taça e, quando ela chegasse, uma garrafa consensual. Apesar da vontade medonha de fumar, me mantive fiel ao meu propósito. Álcool era tolerado. Cigarros nem pensar.

Eu começava com uma pequena concessão, outras viriam, e já se sabe aonde isso vai dar.

Ela chegou com dez minutos de atraso. Uma mulher deve chegar com dez minutos de atraso, eu escreveria, se fosse um colunista do encarte feminino. Chegar antes indica carência que assusta, chegar mais de vinte minutos atrasada indica desprezo, desatenção e má-educação. Dez minutinhos, o ideal, querida leitora. Na próxima semana, escreverei sobre como se vestir para um encontro que promete. *Au revoir*, amigas...

Chegou com uma roupa colorida, roxo e verde pelo tronco, calça creme, como uma turista chegando do Nepal. Estava irritantemente desagasalhada. Mulheres sentem menos frio que os homens. Mulheres sentem menos frio e dor. Desconfio que mulheres sentem menos solidão. Escreverei na minha coluna para as mulheres. Confere, querida leitora? Mande e-mails com a resposta para a redação, *chérie*.

Tenho tantas coisas para dizer para as mulheres, sobre as mulheres, sobre o que os homens pensam sobre as mulheres. Se bem que Ariela comemoraria a informação de que larguei a profissão que ela tanto odiou! Que a fez infeliz! Que desgraçou as nossas vidas! Que fulminou o nosso casamento! Mas não o nosso amor... Não é, *mon amour*?

Me levantei. Beijou e me abraçou feliz. Muito feliz. Sentia muita saudade. Ex-mulheres sentem muitas saudades dos ex-maridos. Especialmente dos que elas abandonam.

Sentir o seu corpo abraçado. Apertei, respirei o seu cheiro. Colei no seu corpo. Por pouco não a beijei na boca. Por hábito... Ela se afastou tímida.

Sentou na mesa sem criticar o frio ou me perguntar se sentaríamos ali na calçada. Viu o meu caderno. Adorou a capa. Abriu e leu:

"Marcinha, 200 f, 250 m/h. Neide, 200 f/m/h. Lu e Gabi. 300, sem anal."

Fechou educadamente. Ela estava loira. A camiseta, justa. Sem sutiã. Escolha surpreendente para a idade. Seus peitos pareciam maiores. Diferentes. Caídos. Estrábicos.

Havia um sorriso que eu desconhecia no seu rosto seco de poucas rugas, envelhecido. Mas lá estavam os olhos azulpiscina que tanto me fascinaram. Era uma mulher com jeito de garota aventureira. Bem-humorada. Feliz. Jóias indianas: pratas e pedras em colares e pulseiras.

No passado, ela não usava jóias.

Aparecerão as comparações. Aparecerá o passado. E na maioria dos casos é melhor deixar a merda do passado morto e bem enterrado.

Por que a ex-mulher aparece mais bonita, bem-humorada e feliz do que quando conviveu conosco? Por que elas não aparecem indicando que a separação destruiu suas vidas, que o arrependimento as acompanha como a sombra? Culpa minha, não é, queridas leitoras, quem mandou escrever que o amor não acaba. É lógico que ele acaba!

"Raul. Você está ótimo. Emagreceu?"

"Solteirão."

"Corado."

"Sol todas as manhãs na piscina no último andar de onde moro. Fico lá escrevendo. Tem um mordomo esquisito, baby, precisa ver como ele é esquisito, ele anda todo torto. Apelidaram o cara de Jacaré, coitado, mas é gente boa, parece feliz, todos parecem felizes no verão, não é? Pena que chegou o frio, odeio frio, me doem as costas, e pra acordar?"

"Você detestava sol."

"Eu detestava centenas de coisas que não detesto mais."

"E deve detestar outras tantas que antes adorava."

"Você adora jogar com as palavras."

"Ficou chateado que voltei pro seu apê?"

"A nossa antiga casinha..."

Ela sorriu envergonhada.

"Por outro lado, estou com o nosso carrinho."

"Sério? E funciona ainda?"

"E como..."

Nossa casinha. Nosso carrinho. A merdinha de passado não vai nos largar durante toda a noitinha, pode apostar.

"Adorei o que você escreveu. Até chorei. Juro." E declamou: "*Amá-la me faz bem. Mesmo que ela não me ame. Amo amá-la.*"

"Gosto do final: *O amor não acaba. Vira.*"

"*Se acabar, não era amor*", completou.

"Querem pedir as bebidas?", perguntou o garçom.

"Você já está tomando?"

"Uma taça de cabernet sauvignon. Mas podemos pedir uma garrafa."

"Não estou bebendo."

"Não?"

"Não sabia? Mudei. Parei o café, bebidas, carne."

"Todas as carnes?"

"Até frango."

"E ovos?"

"Parei. Você sabia que as granjas ficam com as luzes acesas para as galinhas pensarem que é sempre dia e colocarem dois ovos? Imagina o estresse em que vivem?"

"Até os peixes?"

"Eles se afogam quando são tirados do mar. Se afogam com o ar."

"E leite?"

"Parei. Você não sabe como as vacas sofrem para dar leite. Estive na Tailândia. Estive no Nepal, na Índia. Eles não comem carne."

"Quando você pede uma pizza, faz como?", perguntei.

O garçom, também curioso, esperou.

"Peço para tirar o queijo. Mas vou parar de comer pizza. Quero um suco de laranja."

"Pode me trazer outra taça? Vou ficar no vinho. E água com gás."

"E o cardápio. Estou com fome. Conta, conta tudo, que lindo o seu texto, você anda com um caderno?"

"Você me sugeriu anos atrás."

"E escreve o quê?"

"Filosofia."

"Você curte filosofia agora?"

"Graças aos livros que você deixou. Fiquei atormentado quando descobri que o não-é pode ser, e o é pode não ser."

"Sei..."

"O é e o não-é foram a matéria-prima dos pré-socráticos?"

"É."

"O é depende do não-é para ser, certo? O é pode ser não-é ao mesmo tempo? O é e o não-é podem ser uma coisa só. O é e o não-é são!"

"São o quê? Aonde você quer chegar?"

"Entender o amor, não amor, antiamor, se as coisas acabam ou viram."

"Tarefa hercúlea!", riu. E emendou: "Filosofia só serve para entristecer as tolices."

Surpreendentemente, sacou um maço de cigarros. Não era de cravo, uva, nem light. Um autêntico e familiar de caixinha vermelha.

"Só agora você diz isso?!", perguntei irritado.

Me examinou em silêncio, tirou um cigarro, bateu nele diversas vezes, comprimindo o tabaco. E o acendeu na vela em frente. Assoprou a deliciosa fumaça sobre a minha cabeça.

"Assim, morre um marinheiro", eu disse.

"Quer um?"

"Parei, lembra?"

"E eu comecei, engraçado, né?"

"Aceito."

E acendi um cigarro, matando outro marinheiro. Que se danem todos eles!

"Puxa, você mudou."

"Para melhor?"

"Você está ótima."

"Ótima?"

"Linda."

"Linda?"

"Gostosa."

"Taí, gostei. Gostosa..."

Sorriu. Por que quando a gente elogia uma mulher, ela pede sempre mais?

"Li todos os seus livros de filosofia. Aprendi tanta coisa..."

"Como foi a separação?"

"A minha?"

"Vocês se vêem?"

"Não, e você está com alguém?"

"Não." Ficou tímida. "Era um cara legal, mas nada a ver."

"Com a Fabi, eu não conversava."

"Baby, nisso, os estóicos têm razão: o conhecimento não adianta nada, se ele não pode deixar a pessoa mais feliz."

"Você encontrou Fabi?"

"Só na mudança. Era minha amiga, mas... Você sabe, ficamos sem nos falar. Eu não faria o que ela fez. Tem limite pra tudo. Ela quem sugeriu voltar para o antigo apê dela, e eu, para o nosso. Culpa."

"Nosso?"

"Eu esperava encontrar você triste, no entanto, te vejo com tanta vida. Nunca me casei pra valer. Sempre foram casos, rolos, morar junto, mas casamento mesmo, só foi com você", ela disse o que eu já sabia muito bem.

"Que honra..."

Vi Luísa atravessando a rua, de minissaia branca, bota cano alto verde, uma jaqueta de couro preta. Vinha em nossa direção. Luísa não era de se vestir apelativamente. Por que justo naquela noite?

"Oi, gato", ela disse e se sentou na mesa. "Viu a bota que comprei?"

"Torrando o seu dinheiro. Luísa, essa é Ariela. Ariela, Luísa."

"Mas acho que ficou apertada aqui na batata. Saco, vou ter que trocar. Oi."

"Oi", respondeu Ariela.

"Luísa mora no flat. Quer se formar em Relações Internacionais. Toma sol."

"O que vocês estão bebendo?"

"Nada."

"E essa taça?"

"É minha. É um cabernet."

Então, uma mão encostou no meu pescoço e começou a me fazer massagem. Era minha baiana. Também de minissaia. Também de botas. Também de jaqueta de couro.

"Oiê... Vocês vão jantar?"

"Gabriela, Ariela. Ariela, Gabriela."

"Oi."

"Gabriela é baiana. Também mora no flat."

Ela também se sentou.

"Vieram da mesma loja?", perguntei.

"Minha bota não ficou legal", disse Luísa para Gabriela.

"Onde aperta?"

"Aqui."

"Você gastou todo o seu dinheiro, já?", perguntei, dando uma dura na baiana.

"É porque você é batatuda", disse Marcinha, também se sentando na mesa.

"Batatuda o caralho!", irritou-se Luísa.

"Olha a boca!", repreendi.

"Vocês vão jantar?", perguntou Marcinha.

"Marcinha, Ariela. Ariela, Marcinha..."

"Prazer."

"Eu sou batatuda, Lu?", perguntou.

"Fala a verdade", pediu Marcinha, dando uma bicada do meu vinho.

"Ele nunca vai te criticar, ele é um cavaleiro, um gentle...", engasgou Gabriela.

"Gentleman", corrigiu Luísa.

"Não precisa me corrigir."

"Por que vocês estão irritadas?", perguntei.

"Eu não estou irritada."

"Nem eu."

"Não estão trabalhando?"

"Tá fraco hoje. É o frio!"

"Você não é batatuda, a bota é que é malfeita", Ariela disse.

Elas começaram a falar sem parar, enquanto checavam mensagens nos celulares, tiravam fotos, se olhavam nos espelhos, passavam batom. E eu descobria outra atividade que o começo do frio atrapalha.

"Ué, ficou irritado?"

"Vocês são muito preguiçosas!"

"Serve comida aqui fora?"

"Bom esse vinho. É cabernet?"

"Eu comeria um nhoque agora."

"Nhoque engorda."

"E eu estou gorda?"

"Hoje, não, mas amanhã..."

O garçom trouxe o suco de Ariela e quase derrubou a bandeja, ao ver o naipe das clientes que se juntaram.

"Tem nhoque?", perguntou Gabriela para o garçom.

"Vocês já vão fazer os pedidos?", ele perguntou.

"Não, não vão", respondi com firmeza. "Elas estão de saída."

As três pararam de se mexer.

"Não, tudo bem. Elas podem ficar", disse Ariela, que, nisso, não mudou: a justa, tolerante, como a fundadora de uma ONG. A boa.

Foi Luísa, mais sensata, quem entendeu meu problema e se levantou, disse que estavam só de passagem. E puxou as outras duas. Que, claro, empacaram. Gabriela pegou o guardanapo e limpou o batom. Marcinha matou o meu vinho. Luísa insistiu.

"Está frio aqui, vamos pra pizzaria da esquina."

"Engorda."

"Tem salada."

"Salada faz mal à noite", disse Ariela.

"Vão já para o flat! Peçam uma pizza lá!", ordenei.

Elas se levantaram decepcionadas com a minha grosseria, se despediram de Ariela com beijos e se foram. Assim que se afastaram, Ariela riu. Expliquei por que me chamavam de Lu.

"Elas gostam de você."

"Sou o tiozão querido."

"Tiozão? Ah, vá. Você está jovem, Lu. Alguma delas é uma paquera?"

"Claro que não."

"A da bota apertada..."

"Luísa é generosa. Temos afinidades, mas somos só amigos. É a mais culta das três. Você sabe o que elas são, não sabe?"

"Como assim? O que você quer dizer?"

Essa é Ariela. Ingênua? Ou faz parte da sua sabedoria se aliar à omissão? Nenhuma arrogância, prepotência, preconceito, intolerância. Resolvi poupar, ou melhor, economizar a realidade:

"São jovens estudantes dessa geração consumista e fútil, que vieram do interior."

"Estão certas. Nessa idade, têm mais que aproveitar. Então, fala mais. A gente tem tanta coisa..."

Ariela: interessada, me fazia falar, se dispunha a escutar os problemas do outro, até os mais banais. Portanto, contei das minhas últimas semanas, sem citar o dia em que saí do apê, aquele denominado "nossa casinha", deixando-o para Fabi, levando embora e sem consultá-la o "nosso carrinho".

Apenas comecei com "quando acabou". Ela intuiria, no decorrer do papo, o que acabou. Expliquei por que o meu livro de poesia virou de filosofia. Falei da crise do jornalismo mundial, depois que a internet e suas ferramentas passaram a competir conosco, falindo empresas consolidadas, obrigando outras a uma reforma estranguladora, levando todos a refletir sobre o futuro. Falei dos jovens ambiciosos que nos substituem. Ela baixou a guarda.

"Adoro te ler, sabia?"

"Sério?"

"Eu criticava. Detestava a superficialidade da imprensa, os erros que podiam destruir a reputação de muita gente, a falta de cuidado ao apurar. Mas senti falta. No fundo, eu adorava aquela agitação, você chegar em casa ainda elétrico, falando sem parar, me contando dos boatos. Eu sabia das coisas antes de todo mundo. Te via ficar as noites em claro, ansioso, zapeando canais de notícias. Sinto falta disso. Sabe que no fundo me orgulhava ser casada com um jornalista. Achava chique: *Meu marido é jornalista.*"

"Achava?"

"Fabi namora um garoto, colega da faculdade dela. Desculpa, que fora... Ah, todo mundo sabe, pensei que você soubesse. Tão interessante o mulherio investindo em garotos. Fala de você. Está na revista ainda? Virou colunista?"

"Faço de tudo um pouco."

"E Natália?"

"Foi demitida."

"Tadinha. E o Cardoso?"

"Está lá."

"Mal-humorado como sempre..." E riu. "Que saudades!"

Matamos outros dois marinheiros.

Enquanto eu pensava em Fabi, cercada por meninos nus, e me enojava, ela falou com empolgação de enfermagem padrão, da situação da saúde pública brasileira, da medicina na Índia, na China, em Cuba, de como ela poderia ganhar uma fortuna trabalhando com cirurgiões renomados, mas que montou uma ONG para criar centros cirúrgicos periféricos e desafogar os grandes hospitais, aproveitando a rede de Santas Casas existente em todo o estado.

"Uma vez eu li que o homem sem religião é como um peixe sem bicicleta. Mas eu sou uma idealista."

Decidiu tomar um vinho comigo. Abrimos uma garrafa de cabernet.

Brindamos às suas descobertas.

Comi um steak tartare. Ela, uma sopa de cenoura.

O frio apertou. Emprestei o meu casaco, já que ela não quis entrar no restaurante. Éramos os únicos naquela noite, naquela calçada, sob aquele perigoso e inflamável chapéu-de-sol.

Perguntou pelo meu pai. Não como ele estava. Mas se eu continuava implicando com ele, e ele comigo. Tudo igual.

Até quando? Até sempre. Por quê? Não existe um porquê. Talvez porque somos diferentes. Porque a generosidade e a integridade dele me incomodam.

Então, surpreendentemente, ficamos em silêncio. Um silêncio longo. Longo e justificável. Parte das nossas vidas não estava à disposição. Ou então mentíamos um para o outro, que não estava tudo bem, e no fim do terceiro ato, depois dos aplausos, restou a falta de público, o palco despovoado, a platéia com as luzes apagadas e a realidade solitária e inegável do camarim. "Pede a conta", ela disse e foi ao banheiro.

Mágoa.

Claro!

A mágoa contaminava aquele encontro, era um tempero saboroso, que queimava a língua e transformava o belo jantar num desastre indigesto! Ela me deixou um dia. Ele não foi atrás, não lutou por mim. Ela me deixou num domingo. Ele cedeu à tentação, comeu a maçã, ficou com a minha melhor amiga logo depois, pouco tempo depois, tão pouco tempo. Ela me trocou por um vaqueiro. Me traiu. Nunca mais nos vimos, falamos, nem das formalidades de uma separação. Aliás, nem nos separamos ainda. Estamos juridicamente casados.

Era outra Ariela e este euzinho cá, sobre velhos chassis.

O amor enferruja?

Aquele reencontro foi um erro.

Eu tinha que ir embora, controlar as minhas meninas, agendar programas, fechar a contabilidade, passar a limpo aquele livro-caixa improvisado, arregimentar novas garotas, as suas primas, irmãs, conhecidas, coleguinhas, inimigas, que sonham virar profissionais e faturar uma grana vendendo-as. Se quiserem faturar mais ainda, arrebitem as ancas para liberar o anal.

Eu deveria pagar a conta e me levantar.

Ganhar dinheiro com a sociedade na decepção.

Ir embora, para nunca mais reviver aquele bloco intransponível do passado. Ela entenderia, ao sair do banheiro e encontrar a mesa vazia. Bem, que se dane Ariela. Vá embora, vá. Suma. Vamos, mova-se! Movimente as pernas. Pague com o dinheiro sem origem, dinheiro sujo do mercado do sexo pago. Continue a tirar proveito da prostituição. Crime. A explorar prostíbulos. Crime. A favorecer a prostituição. Crime. E suma!

Joguei notas de 50 sobre a mesa, levantei, mas esperei. Talvez tenha sido a atitude mais sensata. Porque ela reapareceu sorridente, bebadinha, outra e a mesma ao mesmo tempo.

Caminhamos até a sua casa, a nossa casinha, abraçados pelo frio. Chegamos diante do nosso prédio, ficamos grudados, em silêncio, sob um céu cada vez mais aberto.

"Quem não vê os próprios pecados, não pode se corrigir. Isso é filosofia também, gatinho."

Nos beijamos como um casal comemorando o fim da guerra. Apesar das nossas bocas se conhecerem há tanto, tudo era novo, forte, intenso e penoso.

Logo estávamos subindo juntos no elevador.

Entramos no nosso apê de três quartos, bem decorado, atualmente mais feminino, com o teimoso sofá de quatro lugares, vitorioso, a única peça da nossa história que resistiu a todas as indecisões.

Nele, tinha que ser nele.

Trepamos.

Dormimos grudados, entre as almofadas, para que nenhum frio molestasse uma parte descoberta.

Ela acordou antes de mim e foi trabalhar. Deixou a mesa de café posta, o maço de cigarros e um post-it sobre a capa do jornal: "Fique à vontade, baby."

São tantos mundinhos a pesquisar. Os novos quadros, os enfeites, as flores. Vasos, almofadas, cores e cheiros. Difícil entender o que a estátua de Shiva fazia ao lado da de Padre Cícero, e os significados dos novos ímãs de geladeira. Observei as novas pizzarias, restaurantes e farmácias que entregam. O que come, e a faixa de preço que quer pagar. Olhei na geladeira a quantidade de frutas e verduras. Produtos orgânicos, naturais, ecologicamente corretos. Surpresa. Ela ainda gostava da mesma papaia, gelatinas, ameixa-preta, mel, aveia e granola. Aprendemos a gostar juntos das mesmas frutas e cereais.

A lembrança virou presente.

Cheirei todos os frascos de perfume.

Passei cremes nas mãos.

Nem toquei na comida.

Acendi um cigarro, fumei com gosto, naquele apartamento familiar, perfumado e limpo.

E circulei.

Abri armários. Examinei suas roupas. Nenhuma familiar. Incrível como, em anos, uma mulher muda todo o guarda-roupa. Suas calcinhas. Meias. Tecido de roupa feminina é tão mais atraente e delicado.

Vi numa gaveta um vibrador em forma de pênis. Claro que o cheirei. Cheiro de silicone, seminovo. Nunca usou ou lavava com cuidado? Para ligar, bastava girar o fecho onde vão as pilhas. Claro que liguei. Coloquei vibrando na palma da mão, para sentir o que ela sentia. E me deixou envergonhado segurar um falo azul, grande, com veias e a cabeça bem moldadas, chacoalhando na mão. O fecho travou. Não consegui desligar. Aquela reprodução de pau anil vibrando me deu pânico. Joguei com força no chão. Não só parou de tremer, como estourou o compartimento das pilhas. Encaixei tudo provisoriamente e recoloquei na gaveta. Ao lado de pacotes de camisinhas. Lembrei que trepamos sem. Como dois adolescentes irresponsáveis. Como marido e mulher.

Vi um porta-retratos com uma foto nossa: abraçados, felizes, casados, bem casados ainda, nos amando! Havia outras fotos. Mas apenas um homem, o casal: elazinha e euzinho. Deduzi que imaginou que eu fosse para aquele apê, depois do restaurante, e deixou o porta-retratos, escondendo outros.

Vi que ela comprou os livros e CDs que não comprei nos anos separados.

No hall, chamei o elevador.

E voltei.

Eu era outro, deveria ser, mas éramos os mesmos. O que Deus estava fazendo comigo? Sentei na mesa, olhei Shiva, abri o caderno inseparável e fiz as contas de quanto lucrei no mês.

Tocou o telefone. Atendi. Ariela. Feliz.

"Temi por você não estar mais aí."

"Você cuida bem da nossa casinha."

"Estou feliz, sabia?"

"Eu também."

"Com medo."

"Eu também."

"A gente é doido."

"Quem não é?"

"O que você vai fazer?"

"Eu tenho que trabalhar. Mas... Você quer me ver de novo?"

Ela ficou em silêncio.

Não repeti a pergunta.

Veio a resposta:
"Quero sim."

Ousar. Investir para faturar.

Armamos uma sessão de fotos numa casa bucólica na Cantareira, que aluguei. Cardoso fotografou Neide, Luísa, Suzana, Marcinha e Gabriela; pioneiras da nova forma de explorarmos a profissão mais antiga.

Diferentemente de muitos, eu não iria expor as meninas ao formato dos sites habituais, que vêm com uma foto, descrições da garota e o seu celular; caso o cliente quiser mais detalhes, aí, sim, ganha uma senha, depois de assinar e enviar dados do seu cartão de crédito, e estará liberado o acesso a mais de dez fotos da garota e até a um vídeo, para uma análise mais profunda ou o prazer solitário onanista, fotos tradicionais de meninas em poses provocantes, de gosto duvidoso e figurino exótico, tratadas por muito Photoshop, para corrigir imperfeições.

Primeiro que o nosso novo empreendimento nem seria um site, mas um blog.

Haveria exposição das minhas garotas, mas vestidas, o que daria um ar familiar. Até de normalidade, inocência: paquera.

Claro que vestidas com roupas comuns.

Não fariam cara de puta.

É isso. A mensagem que queríamos passar: somos mulheres, e você pode nos ter, se pagar, nada de anormal nisso, o desejo é legítimo, o prazer é uma dádiva, você tem direito a uma de nós (se tiver a grana que pedimos).

Por isso, escolhi um fotojornalista. Para registrar uma rotina, não armar uma cena.

• Gabriela fazendo lição de casa.
• Gabriela pegando água da geladeira.

- Fazendo o dever de casa.
- Neide lavando a louça.
- Neide se depilando com gilete.
- Regando plantas.
- Marcinha lendo um livro.
- Marcinha teclando.
- Luísa acordando.
- Luísa escovando os dentes. Com preguiça.
- Suzana picando pepino, abrindo a geladeira, lavando as mãos.

Algumas das fotos eram em preto-e-branco, que dá um clima artístico na putaria.

Sei que a maioria dos clientes quer puta com cara de puta, jeitão de puta, pose de puta. A única coisa em que prestam atenção é no corpão em que irão se juntar, segurar, apertar.

Mas há um mercado de gente que não confia na máfia da indústria pornô e não quer seu e-mail ou cartão de crédito circulando por aí, e que tem fantasia de pagar. Além do mais, minhas garotas escreveriam, para relatar suas experiências. Claro que elas precisariam da ajuda de uma profissional. Quem?

Liguei para Natália.

Que almoçou conosco na casa da Cantareira e presenciou a sessão de fotos. Temi por um ataque de fúria de uma jornalista horrorizada com a exploração vil, criminosa e incorreta do corpo feminino. O que se viu foi a prova irrefutável de que novos tempos planavam entre o Céu e a Terra: ela topou.

Passaria a entrevistar as meninas e postar as experiências e noitadas com clientes. Falariam de paixões secretas, desejos reprimidos, do passado, das primeiras experiências, além de alimentar discussões sobre técnicas de como retardar a ejaculação. Postariam conselhos para homens e mulheres e até receitas afrodisíacas.

Natália estendeu a minha idéia e sugeriu um horóscopo sexual, um portal de desabafo e discussão sobre diversos temas, como: "Trair a mulher com sexo pago é traição?"

Aboliríamos de vez as expressões que degradam a atividade. Se alguém postasse as palavras puta, prostituição, meretriz e seus congêneres, seria imediatamente deletado. Não haveria clichês, descrições cafajestes, frases feitas. Natália evitaria expressões chulas.

Abriríamos um canal com o cliente. Queríamos ganhar a confiança do consumidor. Ele poderia postar suas opiniões sobre cada garota, dar notas. Queríamos que ele também desabafasse: exorcizar, pôr pra fora! Amo a minha mulher, mas não resisti e fui dar um pulinho aí, rapidinho, prático, e me deitar com uma profissional. Quis algo diferente, para quebrar a rotina. Sou um homem que é muito bem casado, sob a bênção das leis do Código Civil, mas adoraria pegar uma negra de quatro, uma japonesa no colo, uma loira em pé, uma ruiva no banheiro, apalpar, sentir, espalmar, acariciar e, ao final, pagar, para chegar em casa, entrar direto no chuveiro e depois beijar a mãe dos meus filhos, abraçar cada descendente, que carrega nos genes traços da minha personalidade dúbia, e ler historinhas para eles dormirem. Posso?

As garotas pagariam todo o serviço. Em vez de gastarem a mensalidade e a inscrição no site, dariam para nós a metade por mês, com fotos incluídas. Bem, aquelas garotas faturavam isso num fim de semana de bom movimento.

Nome do blog: *Você.Pode.* Pagando...

À noite, voltando do trabalho, passei num supermercado. Comprei vinho, massas e temperos orgânicos.

Posso dar festas na casa da Cantareira, pensei. Para um seleto grupo, que pagaria os tubos para ver todas elas em ação. Aos domingos, dia fraco na putaria. Despedidas de solteiro, formaturas, assinaturas de contratos, grandes vendas, contas adquiridas, concorrências ganhas. Montaríamos um forno de pizza a lenha. Pizza e puta. Irresistível.

Na livraria em frente, comprei uma caixa de DVD do Truffaut.

Voltei para a casa dela, a nossa casinha.

O garagista-porteiro, feliz com o *happy end* entre condôminos antigos, abriu as portas sorridente, me entregou a correspondência, como se eu morasse lá ainda, e os condomínios atrasados, que Fabi não pagou!

Preparei a mesa. A banheira. Fui para a cozinha.

Assim que ela chegou, a tenda estava armada.

Fomos juntos para o banho.

Jantamos enrolados em toalhas.

Bebemos um Pinot chileno.

Transamos no longo sofá da sala, sem pausar o filme *Domicílio Conjugal*, de 1970.

Passamos muito tempo nos beijando.

Como é bom beijar. Suas mãos seguravam a minha nuca. Seus dedos, nos meus cabelos. Ariela gostava de beijar. Mas era outra Ariela me beijando. Mais entregue. Mais segura. Mais vívida e vivida.

"Você está tão diferente", ela disse. "Mais relaxado. As suas costas, menos tensas. Você trepava comigo preocupado com os telefonemas que tinha que atender, com a reunião de pauta, com o passaralho...?"

"Estou mais comedido."

"Reparei."

"Mais maduro."

"Você me olha nos olhos."

"Ariela. O antes é antes. Estamos no agora, agora. Seremos torturados pelas comparações. Faz um pacto comigo. Viva sem o antes e, muito menos, o depois. Consegue?"

"Acho que não."

Ela se levantou e acendeu um cigarro. Matou a sua taça de Pinot. Me olhou misteriosa.

"Dorme comigo?"

"Você quer?"

"Claro. E você?"

"Eu também."

"Quanto?"

"Muito."

"Muito quanto?"

"Infinito."

Lançamos informalmente o nosso blog com uma festinha privé no Espaço. Reservei uma mesa enorme e servi champanhe. Minhas garotas estavam eufóricas e íntimas de Natália, que parecia a irmã mais velha; confidente.

Outras garotas vieram. São as garotas de programa quem trazem outras garotas para a atividade. São elas quem inspiram primas, irmãs, ex-colegas, amigas recentes, vizinhas, a aderirem ao negócio que nunca tem baixos.

Impressionante como um bom empreendimento, acompanhado de uma boa idéia, inovação e qualidade, pode ser lucrativo e, o mais importante, crescer sozinho. Recebe adesão, ganha vida própria. Desconfiei que, sem fazer muito, eu estava prestes a construir um império.

Neide trouxe uma colega de escola de samba, mulata maravilhosa que fez a cabeça de todos ao dançar no meio da pista um hip-hop das antigas. Tenho já uma oriental, Suzana, duas loirinhas, Gabriela e Marcinha, duas morenas clássicas, Neide e Luísa, e agora uma afrodescendente. Os targets são preenchidos.

Comprei roupas, toalhas e uma caixa do DVD do Wim Wenders. Comprei outros temperos, outro vinho; um Primitivo. Ariela chegou, o jantar estava pronto. Transamos no sofá de quatro lugares, sem desligar o filme *O Movimento Errado*, de 1975.

"Você foi embora porque eu trabalhava demais?"

"Imagine."

"Fala a verdade."

"O antes não é antes?"

"Eu preciso saber se você me aceita do jeito que eu sou."

"Fui embora porque eu não estava feliz. Fui embora porque você era o primeiro amor da minha vida, e eu precisava de mais. Precisava viver. Precisava de outras experiências. Fui embora porque coisas em você me irritavam. Tive que descobrir, em outros caras, que outras coisas também me irritavam. Tive que descobrir como amar. Depois, você teve a Fabi, e vi que ela, sim, era a mulher da sua vida. Ambiciosa. Agitada. Que raiva me deu! Não, meu amor, nunca me incomodou a sua rotina, o seu trabalho, se você quer saber."

Ela sorria. Aliviada. Feliz. Estranhamente feliz.

Enquanto a minha amada buscava uma posição para dormir, passei a mão em todo o seu corpo. Enfiei o dedo nela. Nem acordou.

Cobri com cobertor.

Deixei dormindo.

Saí sem fazer barulho.

Por que saí?

Me sufocava, aquele apê.

Algo me dizia que, sim, o passado não é como o gelo, que se derrete com o calor do tempo.

Fui para o centro a pé.

Muitas garotas fazem ponto na esquina com a Fernando de Albuquerque. Se espalham pela Hadock Lobo, e, você sabe, a rua Augusta.

As putas da área são gatas, independentes, não estão presas a nenhuma estrutura. E se utilizam dos três hotéis e dois flats da quadra.

Ainda não entendi a insistência pela calça branca de algumas garotas, figurino inoperante, já que qualquer sujeira pode pôr abaixo uma noite lucrativa.

Surpreendentemente, entre quatro garotas provocantes numa esquina, vi uma menina que destoava: roupa preta, coturno e camiseta da banda Metallica. Novinha. Nem tão gostosa, mas com potencial.

Fiquei em dúvida se fazia programa ou estava ali como eu, curiosa, e desceria a Augusta para os vários inferninhos de rock que esquentam depois da meia-noite.

Teca. De Tereza. Gostei do codinome. Uma menina de 19 anos, que eu jurava que tinha 16. Cheirava a banho tomado. Perguntei quanto. R$ 150, ela disse. Achei caro. R$ 130, ela disse. R$ 80, eu disse. R$ 110, ela disse, e ainda avisou que não fazia anal e chupava com camisinha. "Você tem camisinha?", perguntei. Ela sorriu. "Lógico." Putas de rua são as mais prevenidas. "Onde?", perguntei.

Pegou na minha mão, se despediu das colegas, e descemos a rua. Entramos à direita e paramos no meio da quadra, num hotelzinho que, na real, era uma porta.

Dentro, um lobby com um balcão, uma tevê ligada e um corredor com muitos quartos. Uma velha de óculos escuros, fumando uma cigarrilha, controlava o movimento. Mostrei a minha identidade. Teca não precisou. Deviam saber o seu CPF e RG de cor.

Paguei R$ 30 pelo quarto. "Tem uma hora. Se ficar mais, é R$ 25 a hora", disse a velha. Pedi uma cigarrilha. Ela não me deu.

O quarto era apertado e sem janelas. Tinha uma cama de viúva, lençóis amarelos, e um banheiro com chuveiro. Teca se sentou na cama, me puxou pelo quadril, abriu o zíper da minha calça, enfiou a mão dentro, quando recuei dois passos.

"O que foi?", perguntou.

"Você pode tirar a roupa?"

Ela sorriu e tirou aos poucos.

Primeiro as botas. Que colocou em pé, no pé da cama, com todo o zelo. Dobrou a calça e a camiseta. Colocou numa cadeira de plástico. O único lugar em que poderia colocá-las.

"Por que quando você pede para uma mulher tirar a roupa, não tira tudo, e ficam ainda as roupas de baixo? Tira tudo."

Teca então tirou a calcinha e o sutiã. Não estava depilada. Péssimo. Levou-as para a cadeira de plástico. Pude ver o seu caminhar e o caimento das partes que interessavam.

"É silicone?"

"Mas não ficou legal."

"Ficou, sim. Onde é a cicatriz?"

"Aqui debaixo", levantou os braços e mostrou, abaixo dos peitos, duas cicatrizes do tamanho de uma tampa de caneta.

"Detestei", ela disse. "Vou juntar dinheiro, para refazer."

De fato, olhando atentamente, percebia-se um seio sem definição, forma, confuso, sem apontar para um caminho hesitante.

"Mostra a bunda."

"Eu não faço anal."

"Eu sei."

Ela virou, tímida. Então, ficou de quatro, se exibiu, balançou os quadris, arrebitou a bunda. Sem estrias, celulites. Era uma moreninha com cara de índia, um corpo teen e dois peitos de silicone de, sei lá, uns 200 ml. Muito, mas muito mal colocados, produto desses médicos açougueiros que estão detonando as adolescentes brasileiras pobres. Isso dá uma pauta, Denise F., amiga.

"Trabalha pra mim?"

"Como é que é?!"

"Você terá dinheiro para arrumar estes peitos, os lábios, fazer depilação, o figurino, comprar jóias, carro, casa, aposentadoria, é com você, menina, depende de você. Você poderia cobrar muito mais, sabia?"

"Quanto?"

"R$ 250. Se fizer anal, R$ 300."

"Eu faço poucos programas."

"Mora onde?"

"No centro."

"Com quem?"

"Com minha mãe."

"Ela sabe que você faz programa?"

"Finge que não sabe."

"Você estuda?"

"Não. Larguei. Não faço nada."

"Trabalha?"

"Numa loja, na Galeria do Rock."

"De que bandas você gosta?"

"Iron Maden, Judas Priest, Ozzy, ACDC, Black Sabbath, In Flames..."

"Led Zeppelin?"

"Adoro."

"Eu também."

"Qual disco?", perguntou.

"*Physical Grafitti. Disparado.*"

"Eu também. Qual música?"

"*Tara-ram, tara-ram...*"

"*Tara-ram, tara-ram...*", ela continuou.

E cantamos juntos a introdução de Kashmir: "*Oh let the sun beat down upon my face, stars to fill my dream...*"

"Veste a roupa. Vem comigo?"

"Você vai ser legal?"

"Quer apostar?"

"Quanto?"

"Um IPod."

"Um IPhone", e sorriu, meiga.

Trapaceira.

Gostei dela.

Luísa riu da nova adesão, quando a apresentei e pedi para cuidar dos trâmites: marcar depilação, alugar um quarto, comprar um celular novo, encomendar fotos com Cardoso.

Chamamos Natália, pedi um texto, para postarmos o mais rápido possível.

Disseram que íamos gastar uma grana para repaginar a menina. Nada disso, garotas. Essa menina vai trabalhar assim mesmo, como uma roqueirinha, a metal puta, com coturnos, cintos com tachas e camisetas pretas das bandas Metallica, ACDC, Black Sabbath e Led Zeppelin, entenderam? Deixem que eu cuido dos negócios, gatas.

Teca apoiou a minha intervenção. Roqueiros... Angariaríamos uma clientela metal fiel a seus ídolos. Faturaríamos o metal vil dos roqueiros da cidade.

Ensinei: "Quando você estiver com um cliente, elogia, 'nossa, como você é gostoso', ele fica alegre e quer oferecer algo, nunca beba nada, ele pode te dopar, fala que está louca de tesão e quer chupar, aí elogia, 'nossa, como é lindo o seu pau', se o cara diz que quer conversar, fala que tá calor e tira a roupa, fica peladinha rápido."

"Fazendo programa, eu não gozo. Nunca gozei", disse Teca.

"Tem garota que goza. Eu raramente gozo. Mas finjo. Às vezes, quando menos você espera, aparece um cara gostoso, com pegada, sabe?", Luísa contou.

"O que é alguém com pegada?", perguntou Natália, não sei se como ghost-writer, ou como interessada. Também esperei a resposta.

"Tem que ter um cheiro bom. Do cabelo ao pau", ela explicou. Natália concordou com a cabeça. "Tem que ter aquele olhar de quem vai te virar do avesso, olhar no olho. Já vem chegando, fungando na nuca. Cara que sabe o que fazer com as mãos, sem apertar muito, sem evitar o toque..."

"Vamos, Natália! Anote tudo. É isso que tem que estar no blog!"

Minha cabeça andava concentrada nos negócios.

Conseguíamos informações sobre os clientes que acessavam o blog: de onde eram, seus provedores e IPs, as páginas que mais acessavam, as garotas preferidas, quanto tempo gastavam em cada garota, se liam os textos, os horários de pico.

Surpresa. Teca, meu novo talismã, não fazia sucesso. Atendia em média dia sim, dia não. Esses roqueiros são uns duros! Bêbados, pobretões, larguem estas garrafas de cerveja e liguem os seus computadores, arruaceiros, vamos lá, botão iniciar, conectar à rede... Ajam! Saiam desse sofá podre, desliguem a tevê, seus inúteis!

Dessa vez, foi Ariela quem cozinhou, e foi a caixa do Kieslowski que comprei.

Assistimos a *Sem Fim*, de 1985.

Estranhamente, não transamos.

Detalhe que me irritou.

"Você não sente mais tesão em trabalhar na revista mais influente do País?"

"Não como antes. Estranho, né?"

"Você gostava tanto, era tão dedicado. O que aconteceu?"

"Fique algumas semanas sem ler jornais e revistas. Você continuará informada. Não sei como. Faz o teste. O mundo não precisa mais dos jornalistas. Me entende?"

"Não exagera. Jornalistas denunciam. Salvam vidas e o planeta. Desmascaram corruptos. Defendem a democracia. A liberdade, o meio ambiente. O que você tem vontade de fazer?"

"Cuidar de você."

"E amanhã?"

"Cuidar de você."

"E depois?"

"O que você acha?"

"Você quer me dominar?"

"Se você deixar..."

Ela riu.

Era bom ver Ariela rindo.

Quando virá o não-riso?

Teca passava horas entediada. Via clipes na tevê.

Numa tarde, pegamos o metrô até o centro.

Ela segurou na minha mão e me levou para conhecer os truques da Galeria do Rock. Me reacendeu o prazer pelo gênero que Ariela desprezava.

Compramos discos, camisetas, bonés.

"Eu não estou agradando, né?"

"Quem disse?"

"Eu sei. E se eu ficar loira? Loirinha. Prateada."

"Nunca diga isso. A gente gosta de você assim."

"Mas eu não dou lucro."

"O que interessa é te ver feliz. Você está feliz?"

"Eu ficaria mais se desse bastante lucro."

Eu não iria forçá-la a fazer sucesso. Eu queria que as garotas fossem escolhidas pelo que eram. Não iria tingir aqueles cabelinhos de descendente de índia Tupi, nem colocaria salto, decote. Deixaria a roqueirinha ganhar os nossos honorários do jeito que ela se sentisse bem. Como num negócio participativo, inovador.

Uma nova ótica do mercado se apresentava. Eu oferecia a realidade, nada de simulacros. Abaixo o hiper-realismo, a intervenção do Photoshop. Viva a verdade!

Colocar o blog na rede naquele inverno foi um golpe de sorte, pois tinha muitas feiras e eventos acontecendo na cidade. Os sites de busca e a qualidade do nosso serviço o levaram logo ao ranking dos mais visitados.

Recebi o telefonema de uma rede de hotéis querendo anunciar.

Desconfiado, não liguei de volta.

Nesse negócio, não se brinca.

Polícia, políticos, administradores, Ministério Público, todos querem uma parte dos lucros. "Piano, piano, va lontano...", dizem lá em casa. Quanto mais eu ficasse invisível, mais chance eu tinha de sobreviver. Bem, Darwin falou disso já há muito.

Luiz Mário gostou de ver aquelas garotas circulando pelo seu Espaço, que andava caído e retomou fôlego. Orientamos: lá não marcavam programas.

Me preocupou a adesão de novas garotas. O blog teria que ser limitado. Começaríamos com no máximo dez. Até aprendermos com os nossos erros. Depois, passaríamos para vinte. Para nos acostumarmos com a dinâmica do mercado. Até chegarmos a quarenta garotas. Um negócio de quase sete dígitos por ano, livre de encargos trabalhistas e impostos.

Cardoso dava conta sozinho. Natália, idem. Ambos empolgados e felizes. Isso é que é vida. Se há aqueles que duvidam que existe uma segunda chance, nós três provamos que sim.

Na porta do flat, encontrei Marcos discutindo com dois seguranças. Barrado pela quinta vez, me disseram na recepção.

"Tá uma merda. Tô na merda. Ela não fala comigo."

"Ela é uma puta, Marcos."

"Não fala assim!"

"Vem, vamos dar uma volta, vem..."

Abracei-o pelo ombro, pisquei para os seguranças, indicando dominar a situação, e saímos pela alameda.

"Eu sei que você a agencia."

"Não agencio mais."

"Por quê?"

"Ela dá muito trabalho. Tem outras garotas mais assumidas."

"Ela não assume o que faz?"

"Mais bem-resolvidas. Conhece a Luísa? É o seu número. Ela é demais, fala outros idiomas, e tem um corpo... Tem a Marcinha, bem vagaba, a rainha do anal."

"Está maluco?!"

"O que tem a Carla? Ela não gostou de trepar com você, foi pelo dinheiro, era um programa, o job dela, para pagar a jaqueta, e você nem pagou pelo programa."

"Você sabe que ela que não cobrou."

"Está vendo como ela complica os meus negócios?"

"Ela gostou. Foi demais. A gente se deu bem em tudo."

"Pára! Pirou?!"

"Foi maravilhoso. Tenho certeza de que ela também se apaixonou, e me evita, por medo. Medo do quê? De se envolver?"

"O que é isso?! Cai na real, a mina é puta!"

"Ela tem alguém? Ela tem outro cara? Quem é o cara? Fala!"

Entramos na livraria e fomos direto para o café.

Sentei e fui pegar dois expressos.

Marcos, atordoado, olhava para a mesa e não via nada. Coitado. O cara que tanto invejei era um caco, corroído por um amor impossível. Patético.

Voltei para a mesa.

Ele perguntou:

"Você desistiu do jornalismo?"

"Por quê?"

"Eu entendo, é uma droga de uma profissão decadente, cruel com caras velhos como você. Logo você arrumou outra coisa e empregou Cardoso, Natália. Desencanou. É o fim dos tempos", ele disse.

"Esqueceu que foi você quem me demitiu, palhaço?"

Acendi um cigarro.

Refleti.

Eu não desisti do jornalismo.

Me meti num negócio mais lucrativo.

Então, contei:

"Ela tem outro cara, um médico. É o amor dela."

"Eu vou denunciar essa putaria toda."

"Prostituição não é crime."

"Mas tirar proveito dela é."

"Tráfico de mulheres, exploração de prostíbulo, formação de quadrilha é que são crimes."

"Vou entregar vocês."

"Você roubou o meu cargo. Veio do nada. É uma invenção tosca."

"Vai à merda!"

"Vai você, foca!"

E saiu para a rua. Fui atrás.

"E se eu revelar as fotos que mostram você e Denise no motel?"

Não sei se me ouviu.

Apareceu Gabriela, a minha garota. Me abraçou e perguntou:

"Me apresenta o amigo?"

Marcinha, Luísa e Teca me cercaram.

No meio da rua?! Virava uma rotina imprudente.

Me agarraram por trás, fizeram carinhos no meu cabelo, massagem no pescoço.

"Desde quando você começou a fumar?"

"Fumo quando estou de TPM", me respondeu Marcinha.

Arranquei o cigarro da sua boca.

Amassei-o com raiva na mão, sem me dar conta de que estava aceso.

Graças à adrenalina que corria no meu sangue, não senti a dor de uma queimadura.

"Não fumem! Não quero cheiro de fumaça, bafo de cigarro, pele esverdeada e cabelos fedidos! Nada de afastar a clientela antitabagista, porra! E o que vocês estão fazendo aqui?! Já pro trabalho!"

"É hora de descanso, Lu!"

"A gente ia tomar sorvete."

"Vamos?"

"Nada disso! Estamos perdendo dinheiro! Estamos gastando uma puta grana neste flat! Já pro trabalho, é uma ordem! Estou cheio dessa moleza! Vamos. Você também, Teca!"

Ariela. Pensei em Ariela. Eu precisava de Ariela, para decidir por minha vida. Ligarei para ela agora. Ariela, por favor, só você pode me salvar. O que eu faço, baby? Não trabalho mais para a empresa de tradição. Sou um gigolô, querida, exploro mulheres: cafetão! Tiro proveito da prostituição. E sonego impostos.

Enquanto Marcos entrava num táxi, e minhas meninas voltavam cabisbaixas, calculei: com a indenização que eu, Cardoso e Natália receberemos da editora, poderemos comprar um hotel decadente e o transformar num flat charmoso, estilo Philippe Stark — cada quarto com uma cara, para um perfil de cliente.

Colocaríamos todas aquelas garotas para morar nele. Ganharíamos também os aluguéis que pagavam para o pool do flat. Se quarenta garotas morassem na minha empreitada, um negócio de... Faz as contas.

Fala a verdade...

Fui com Gabriela buscar a prima baiana na rodoviária, menina com marca de biquíni, um sotaque muito puxado, roupas leves, estilo comercial de cerveja, que foi fotografada no mesmo dia, ganhou roupas novas, parecidas com as que vestia; porém, autênticas.

Passou por um aconselhamento e, no dia seguinte, estava trabalhando sob a marca Mari Eva. Nome escolhido por Natália.

Que empreendimento digno de um ISO 9000. Faltava um manual padrão, que explicasse a conduta, o procedimento:

1) jamais falar palavrão
2) nada de roupas vulgares
3) solidariedade em primeiro lugar
4) honestidade e transparência por princípio
5) nada de cigarros, drogas e bebidas
6) faturar enquanto a juventude facilita
7) parar depois e usufruir da aposentadoria, como os atletas

"Você tem mais primas na Bahia?", perguntei a Mari Eva.

"Tem a Janice."

"É gata?"

"Tem 14 anos."

"Então não serve."

"Mas já faz programa, seu Luiz."

"Lu. Não me chame de seu Luiz. Não chame ninguém de seu ou doutor. Você é igual a todos nós. Você é dona do seu nariz. Entendeu? Quem manda agora é você. Somos seus sócios e amigos. Ninguém te obriga a nada. Você é dona do mundo. Tá certo?"

"Desculpe."

"E além da Janice?"

"Tá cheio de menina querendo vir pra cá."

"Pede para mandarem fotos ou vídeo. Como se fossem se inscrever para um programa de tevê. Não. Nada disso. É melhor eu ir para lá. Mas não agora. E você, capricha. OK?"

O cara enfiou uma automática pela janela e xingou: "Sua puta! Sai logo se não leva um tiro na cara, escrota!" Foi o que contou

Ariela, assustada, me ligando de um orelhão. Fora assaltada num farol. Levaram o seu carro e a bolsa.

Cheguei em oito minutos. Tremia e chorava.

Abracei com tanta força...

Levei para casa.

Tomou um banho.

Ela não sabia que podia fazer BO pela internet.

Desta vez, pedimos uma pizza sem queijo.

Assistimos à novela.

Não trepamos.

De novo.

"Você quer meu carro para ir ao trabalho amanhã? Deve estar no seu nome ainda."

"Não precisa."

"Então eu te levo."

"Não precisa."

"Faço questão. Adoro dirigir, você sabe. Se quiser, fico esperando até o final do expediente."

"Não precisa."

"Boba. Deixa eu cuidar de você."

"Posso te pedir um favor?"

"Quantos quiser."

"Raul. Volta pra cá. Vamos morar juntos", sugeriu.

Perdi o fôlego.

"Sério?"

"Traz as suas coisas. Traz tudo."

"Tem certeza?"

"Você não quer? Vai ser legal. Não vai?"

"Claro."

"Você cuida de mim, e eu cuido de você. A gente vai curtir muito."

"Mas eu sou outro, Ariela."

"Eu também."

"Mudei muito."

"Pra melhor."

"Posso te decepcionar."

"Eu também. Não quer arriscar?"

Comecei a chorar.

Chorar e me desesperar.

Um ciclo se fechava. Ou um ciclone nascia.

"Vai pegar as suas coisas", ela disse.

E dormiu depois de um chá calmante.

No chuveiro, ensaboei o meu pau.

A ereção foi instantânea.

Também estou com saudades, te desprezei nesses dias, mas, viu no que me meti?

Me certifiquei de que a porta estava trancada. Apaguei a luz, voltei para o boxe e, debaixo da água, ela reapareceu do nada.

Quem?

Chuta.

Emocionante.

Ela me beijou com aqueles lábios salientes, boca que desafia, ofereceu o seu corpo para o meu, me lambeu, lambi aquela pele mogno, cor de madeira de lei. Ela me chupou, saudades de você, e me amou de frente e de costas. Você aqui comigo, Fabi, gostosa. Quanto tempo. Por onde anda? É, môr, como nos velhos tempos. Bate. Bate na cara, tesão!

Passei numa floricultura. Ela iria acordar com o interfone apitando. Dona Ariela, tem um cara aqui da floricultura, tem flores pra senhora, um maço de flores enorme que mandaram entregar, pode subir?

Desisti.

No meu quarto do flat, fumei desanimado, olhando o dinheiro ganho no último mês, espalhado em cima da mesa.
Contei.
Bateram na porta.
Cardoso. Puto. Foi demitido durante o expediente. Vieram perguntar das fotos de prostitutas do blog *Você.Pode*. Ele disse que as tirava nas folgas acumuladas. Perguntaram se era correto um fotógrafo experiente, numa das revistas mais influentes, fotografar garotas com a intenção de obter vantagens financeiras através da exploração sexual. A expressão aplicada, obter vantagens financeiras através da exploração sexual, foi nitidamente construída por um criminalista consultado pelo Jurídico da editora. Se blindavam contra um escândalo. Blindar, verbo antigo: isolar um circuito de ações eletromagnéticas. Ultimamente, proteger empresas de ações que possam ferir a sua integridade. Está na moda.
"Lute para reverter o quadro, Cardoso. Invente que está pesquisando para um livro ou apurando para uma matéria sobre prostituição de luxo: uma matéria explosiva que irá contar em detalhes, ou melhor, revelar como funcionam os esquemas de exploração sexual para se obterem vantagens financeiras."
"Quero mais é que eles se fodam!"
"Tem certeza?"
"Estamos juntos, parceiro, não vou te abandonar agora."
Ofereci uma vodca. Gelo. Acendi outro cigarro. Anunciei:
"Eu voltei pra Ariela."
"O quê?"
"Vou morar com ela."
Silêncio.
"Me dá mais uma dose?"

"Ela não sabe de nada. Pensa que estou na revista ainda."

"Cara. Você está bem mais fodido que eu."

"Tem alguma idéia?"

"Nenhuma. Mas fica sossegado, não vou te deixar na mão. Nunca."

"Vou me desfazer do negócio. Acabou. Fica tudo pra vocês, se quiserem continuar."

"Não pira!"

"Ela não vai me deixar pôr as mãos nesse dinheiro sujo. Vou ter que me livrar dele, entregar para uma ONG qualquer. Ariela vai me indicar uma ONG que trabalha com exploração sexual."

"E depois?"

"E depois?"

Na garagem do flat, Carla correu na minha direção aos gritos.

Chorava.

"Me ajuda. Ele é louco. Me tira daqui!"

"Agora não posso."

"Vamos embora. Ele está armado. Corre!"

Entramos no meu carro.

Ela se sentou no banco de trás.

O carro não pegava.

"Ele vai nos matar!"

Lu, agenciador de garotas de programa dos Jardins, que se iniciou na atividade contatado pela meliante Carla, prostituta, ruiva, caso de um renomado cirurgião plástico com consultório em um bairro nobre, casado, que persegue a profissional pelos corredores do flat em que Lu trabalhava com Cardoso, fotógrafo renomado da revista renomada, flat em cuja piscina, freqüentada por garotas de programa renomadas ou não, tramaram, segundo testemunho do garçom portador de necessidades especiais, Jacaré, a rede de prostituição inicialmente organizada por Carla e Neide, mas que se estendeu a Luísa, de beleza incomparável, que lembra atriz dos anos 80 (ou 90?); Suzana, oriental sedutora; Marcinha, especialista em anal; Gabriela, baiana arregimentada numa boate da Nestor Pestana, que, após ser aliciada por Lu, levou a sua prima Mari Eva a trabalhar com ela; e Teca, roqueira metal, todas habitando o mesmo edifício em que Lu foi visto, pelo médico, xeretando a porta de Carla.

Calculei deixar a puta em algum hotel pelo caminho.

Ou quem sabe apresentá-la para Ariela e contar tudo!

Tudo?

E depois, iniciar o processo de reabilitação de garotas de programa que foram retiradas das ruas, por uma ONG financiada pelo dinheiro da própria prostituição. Iniciaria o processo de desputização das minhas meninas. Começaria por Carla, depois Luísa. Depois, Gabriela, Teca. Ariela mostraria os caminhos. Inscreveríamos todas elas em cursos como secretariado. Aprenderiam línguas. Um ofício. Datilografia. Estenografia. Corte e costura. Crochê. Bordado. Auxiliar de enfermagem. Comissária de bordo. Puta em requalificação profissional patrocinada por uniões sindicais.

Inserção social?

Dar oportunidades?

Ensinar a pescar?

De que mundo estamos falando?

Da alameda Lorena, eu veria o movimento da avenida Rebouças e optaria entre subir a Melo Alves ou não.

Piano, piano...

Carro velho.

Não dava a partida.

Vou escrever colunas sobre mulheres para uma revista feminina mensal qualquer, o que um homem pensa sobre as mulheres — sabe, querida leitora, o que o filósofo alemão Friedrich Nietzsche disse?, *chéri*, o meu preferido, "bem que existe no mundo, aqui e ali, uma espécie de continuação do amor, na qual a cobiça, ânsia que duas pessoas têm uma pela outra, deu lugar a um novo desejo, cujo verdadeiro nome é amizade". Escrever textos que enaltecessem os conflitos, com citações filosóficas. Elevar o nível da matéria jornalística. Receber o cheque polpudo da minha indenização trabalhista e cometer a grande empreitada humana: procriar.

Colocar crianças no mundo?

Enfiar filhos e netos goela abaixo dos pessimistas apocalípticos que desdenham a capacidade da espécie de reverter o fim do mundo e afirmam que o amor acaba, os tais que pensam que vivemos na sociedade na decepção.

Acaba?

Diz você, depois deste relato, acaba?

Olhei para Carla. Sorri. Como nos velhos tempos. Sorriu.

"Vou casar."

"Jura?"

"Com a minha primeira mulher."

"Que lindo. Me convida pra festa?"

"Lógico."

"Vai, doido! Liga este carro!"

Dei a partida novamente.

Bombeei gasolina com o pedal do acelerador.

Deu uns trancos, pof-pof-pof, mas pegou.

O motor vibrou, como um gorila numa jaula apertada. Engatei a primeira, coloquei as mãos no volante. Vi pelo retrovisor a fumaça negra subir. Preciso trocar o óleo desta carroça. A mão de Marcos atravessou a janela com um três-oitão. "Sua puta!", ele disse e descarregou o revólver, pá-pá-pá-pá-pá. Cinco tiros. Contou? Ela não emitiu um pio. Depois dos estalos metálicos, codinome estampidos, veio o silêncio, como se nada tivesse alterado a rotina da garagem deserta. Depois, veio a paralisia nas decisões. Dificilmente alguém sobrevive a um revólver descarregado. Ninguém iria socorrer. Não adiantaria nada socorrer. Minha menina.

Apenas a grande dor: aquela que não tem pressa e nos obriga, filósofos, a alcançar uma profundidade extrema e nos desvencilhar de toda confiança, toda benevolência, tudo o que encobre a natureza humana. A vida sem filosofia é como o amor sem hesitações.

Enquanto ela morria, num estúpido egoísmo, vi toda a minha vida. Como num filme. Ou livro.

O botão viado que abre o porta-malas por dentro funcionava.

Arrastamos o cadáver até ele.

Marcos, mudo, não largou o três-oitão descarregado.

Subimos a Rebouças.

Fomos até a editora.

Entramos pelo estacionamento.

Manobrei de ré ao lado do galão de solvente.

Descobri que o é, sim, vira não-é, que a vida vira não-vida, que existe o aqui e o não existe, e uma das coisas que mais atormentam o homem é ele não conseguir controlar a força inexorável que transforma um ser em não-ser.

E é claro que o amor acaba!

7

EGRÉGIO TRIBUNAL DE JUSTIÇA DO ESTADO

O réu, devidamente qualificado nos autos do processo da ação penal movida pela Justiça Pública, como incurso no crime de OCULTAÇÃO DE CADÁVER, vem respeitosamente diante desta Augusta Corte mostrar-se inconformado com a decisão, pela qual foi condenado à pena de dois anos de reclusão, com base no Artigo 211.

O acusado se apresentou diante de uma Justiça contaminada pelo alarde da opinião pública, que sugeria o sentimento de impunidade que assola o País. Há de se levar em conta que a decisão do juiz baseou-se em comoção social e em fatos distorcidos, enquanto inúmeras dúvidas pairam sobre o acusado.

As incertezas não asseguram a soberania da Justiça. O juiz decidiu pela condenação sob forte pressão popular, que se fez presente ao julgamento em grande número, com suas organizações de direitos humanos, anistia, tolerância racial e sexual, de defesa de profissionais do sexo e congêneres.

Data maxima venia, o juiz, ante a grande repercussão do crime e sob pressão da sociedade sobre as autoridades, e o Ministério Público não se preocuparam em realizar uma investigação séria, ferindo os mais sagrados princípios constitucionais, direitos e prerrogativas do cidadão.

Apelamos nos termos da legislação processual penal para que, ao final, produza-se Justiça, respeitando a soberania do juiz monocrático.

O verdadeiro homicida, Marcos Resende, jornalista, continua foragido. Logo, o juiz não realizou uma acareação que possibilitasse o esclarecimento dos fatos. Houve negligência por parte do Estado na composição do inquérito policial. *Data maxima respecta*, atentem os doutos julgadores para aspectos de altíssima relevância:

a) o réu é primário;

b) é um jornalista exemplar, como atesta seu currículo e colegas da empresa de tradição em que trabalhou por anos;

c) querido no bairro, reside há longos anos num mesmo endereço;

d) filho extremoso, cuidou de sua mãe enferma, até a mesma vir a falecer;

e) não foi totalmente identificado pelos seguranças da editora em que o corpo foi jogado, nem as câmeras que gravaram a ocultação do cadáver demonstram uma nitidez em que é possível identificar se o réu estava sob coação ou ameaça de um revólver;

f) o réu, embora acusado de tão hediondo crime, nunca se furtou à ação da justiça, apresentando-se sempre, inclusive, a um tumultuado circo que foi o julgamento pelo Tribunal do Júri.

Em homenagem ao princípio *IN DUBIO PRO REU*, por ser medida de direito e justiça, o Acusado espera e confia que os doutos desta Corte, por seus conhecimentos jurídicos, decidam pela NULIDADE DA SENTENÇA.

"Seu pai bolou a petição. Copiou de um site jurídico", ela disse. "Alguém ainda duvida que a internet é a maior invenção do mundo?"

Piadas internas.

Só pessoas que se amam conseguem rir num ambiente carregado. Começamos a comer os hambúrgueres e batatas fritas, combos mornos que ela trouxe do fast-food mais suculento da cidade.

Depois, abriu a mochila. Me passou cigarros, pilhas, latas de molho de tomate, isqueiros, livros, bolacha, salsicha, almôndega e lasanha, jornais e revistas. E potes de sorvete, que as garotas mandaram.

"Elas querem te ver. Você tem que aprovar o nome delas, para a próxima visita."

"Isso aqui vai virar um pandemônio se aparecerem."

"De repente, a gente fatura algum."

"Neste coletivo só tem pé-rapado."

"Elas estão com saudades."

"Diga que eu também sinto saudades. Elas têm dado trabalho? Você tem que ter rédea curta, meu amor. Puta é foda."

"Não. Mas... Môr, você vai ficar bravo comigo?"

"Depende."

"Só se você disser que não vai ficar bravo."

"Fala tudo."

"Eu e a Natália decidimos mudar o visual da roqueira. Ela não rendia. As outras fazem em média três a cinco programas, são acessadas milhares de vezes por dia. Ela faz um a cada dois dias."

"Eu sei."

"Deixamos ela com cara de índia. Mas colocamos um figurino tropical, colares de búzios, roupas folgadas. O Cardoso sugeriu mudar o codinome para Paola."

"Muda a essência do negócio."

"Eu sei, amor, você precisa escutar. A gente entende de mulher. Trancado aqui, não acompanha os dados. As outras continuam como você planejou. Só a roqueirinha. Ela andava muito angustiada. Queria fazer programas como as outras. Precisa ver como ela está feliz agora..."

Acendemos um cigarro cada. Nos olhamos em silêncio. Tomamos sorvete.

Ela colocou as pernas sobre as minhas.

Beijei aquela pele cor de madeira de lei.

"Precisamos *detetizar* urgentemente a casa da Cantareira. Encheu de cupim."

Silêncio.

"O que foi?", ela perguntou.

"Dedetizar. De DDT, meu amor, o nome do agente químico."

"O que seria de mim sem você?"

Com o joelho, buscou o meu pau. Olhei aqueles lábios salientes. Falei no seu ouvidinho.

"Está me dando um tesão, sua vagaba, pira..."

"Isso, xinga, tesudo. Fala. Piranha."

"Piranha."

"Repete."

"Piranhuda!"

"Vem. Vem, môr. Vamos pro cafofo. Temos uma horinha ainda. Te amo tanto..."

"Eu sei."

"Te amo demais. Nunca mais a gente se separa."

"Nunca mais."

"Promete?"

Saímos do pátio abraçados.

Deixei os cigarros com alguns chegados, dividi a xepa, cumprimentei as suas famílias, fui apresentado a novos filhos, dei um pacote de biscoito para o olheiro, e subimos para a cela.

Ao entrarmos, eu a abracei forte.

E não desgrudei.

"Por que você está chorando?", perguntou.

"Eu queria te falar uma coisa. Acredite em mim. Desculpe por tudo. Nunca em toda a minha vida eu fui tão feliz."

"Eu também."

"E o apê de Cerqueira César?"

"Te esperando."

"Você já voltou pra ele?"

Não respondeu.

Grudou em mim aqueles lábios que desafiam. Temos que continuar e criar sem parar, mesmo com a nossa dor. É na doença do corpo e da alma que renascemos fortes, otimistas e com gosto sutil para a felicidade.

Há uma segunda chance. O que conforta o homem é descobrir que ele tem a força, sim, de simplesmente apagar um ser, para transformá-lo em não ser. Que foi o que eu deveria ter feito há muito.

"Toma. Um presente."

"O que é?", perguntou.

"Um poema de uma frase que fiz para você."

Copyright © 2008 Marcelo Rubens Paiva

Todos os direitos desta edição reservados à
EDITORA OBJETIVA LTDA. Rua Cosme Velho, 103
Rio de Janeiro — RJ — CEP: 22241-090
Tel.: (21) 2199-7824 — Fax: (21) 2199-7825
www.objetiva.com.br

Capa
Luiz Stein

Imagem de capa
Patrick Zachmann/Magnum Photos

Revisão
Ana Grillo
Lilia Zanetti
Ana Kronemberger

Editoração Eletrônica
Abreu's System Ltda.

CIP-BRASIL. CATALOGAÇÃO-NA-FONTE
SINDICATO NACIONAL DOS EDITORES DE LIVROS, RJ.

P169s
       Paiva, Marcelo Rubens
          A segunda vez que te conheci / Marcelo Rubens Paiva. - Rio de
       Janeiro : Objetiva, 2008.

          191p.   ISBN 978-85-7302-931-4

          1. Crônica brasileira. I. Título.

08-3961   CDD: 869.98
                          CDU: 821.134.3(81)-8

Conheça mais sobre nossos livros e autores no site
www.objetiva.com.br
Disque-Objetiva: (21) 2233-1388

markgraph

Rua Aguiar Moreira, 386 - Bonsucesso
Tel.: (21) 3868-5802   Fax: (21) 2270-9656
e-mail: markgraph@domain.com.br
Rio de Janeiro - RJ